# Inteligência afetiva

APONTE A CÂMERA
DO SEU CELULAR
PARA O QR
CODE E RECEBA
UM PRESENTE
SENSACIONAL.

# ROBERTO SHINYASHIKI

# Inteligência afetiva

O **CARINHO** AINDA É **ESSENCIAL**

Gente
editora

# Nota da Publisher

Hoje, mais do que nunca, vivemos em um mundo que parece cada vez mais impessoal e desconectado. As pessoas sentem-se sozinhas, desmotivadas, e lutam para encontrar o verdadeiro sentido de pertencimento e afeto. Nesse contexto, a Inteligência Afetiva emerge como uma resposta crucial para preencher essa lacuna emocional e promover relacionamentos mais autênticos e significativos.

Desde o início da sua carreira, essa sempre foi uma motivação para o Roberto Shinyashiki, que agora retoma, atualiza e desenvolve um tema que o acompanha desde a publicação do seu primeiro e icônico livro *A carícia essencial*. Ele é um autor extraordinário, médico, mentor, empresário e, com muito orgulho, meu irmão, e não poderia haver alguém melhor do que ele para abordar esse tema, pois tem dedicado sua vida a ajudar os outros por meio de livros, palestras e mentorias de desenvolvimento pessoal.

Em *Inteligência Afetiva*, o Beto nos convida a uma jornada profunda, explorando a complexidade das emoções e relações humanas, e nos desafia a repensar nossas abordagens. Esta será uma leitura transformadora, capaz de despertar uma consciência maior sobre a importância do afeto em nossas vidas e impulsionar mudanças positivas em nossa maneira de nos relacionarmos com o mundo. Prepare-se para uma experiência literária única, que com certeza tocará profundamente seu coração e sua mente. Boa leitura!

**ROSELY BOSCHINI**
CEO E PUBLISHER DA EDITORA GENTE

Para os meus netos,
Luca Zeraik Shinyashiki e
Liz Zeraik Shinyashiki,
duas fontes infinitas de luz
e amor na minha vida

# AGRADECIMENTOS

A você, meu leitor, fonte eterna de inspiração.

A Cynthia Greiner e Maria Furtado, que estiveram comigo a cada passo do livro, enquanto eu estava no processo de lapidá-lo.

A Kelly Nascimento, Marina Paduim e Antonio Medeiros, por coordenarem as minhas mentorias e os meus treinamentos e assim criarem tempo para eu poder mergulhar neste livro.

Aos amigos Carol Brandão, Paulo Bonfim, Julia Duarte e Deny Sodré, que me ajudaram neste projeto com muito comprometimento e lealdade.

A Gervásio Araújo, José Alberto Tozzi, Luciano Telles, Theka Moraes, Gabi Bonet, Hebert Bouzon, Ronan Mairesse, Ricardo Frota, Marcos Vilela, Lilian Primo, Marcelo Spaziani, Marcelo Suartz, Marcelle Patrono, Daniela Cavalcanti, Marcela Rasera, Eloisa de Godoy, Davila Dias, Kelly Tsuji, Daniel Valadares, Graziela Brizola, Álvaro Adam e Eduardo Ignacio, por cuidarem dos alunos do Instituto Gente com muita dedicação.

A Luciana Ross, Wagner Cunha Carvalho, Elizete Nikoluk Kaffer, Maurício Viana,

Grace Carvajal Mulatti, Shira, José Ruguê Ribeiro Junior, Juliana Cahali, Laura Proença, Giedre Benjamin, Antonieta Beraldo, Sergio Manabe, Junia Flávia Oliveira, Maryara Zeraick Shinyashiki, Ana Flávia Zeraick Elias, José Carlos Zeraick Elias e Naim Carlos Elias, por cuidarem da minha saúde para que eu tenha energia para realizar os meus projetos de vida.

A Zuleica Tani, Grazi Goya, Silvio Xavier, Denise Fonseca, Diogenes Bezerra, Karen Castro, Tatiane Gonçalves e Wanessa Guimarães, que com muita gentileza e precisão leram os manuscritos e deram sugestões para o acabamento deste livro.

A minha irmã e amiga, Rosely Boschini, a Rosângela Barbosa, meu anjo da guarda editorial, e a toda a turma da Editora Gente, que foram fundamentais para que este livro chegasse até você.

À minha família, que sempre me inspira a ser melhor e me desafia a cada dia, que está comigo em todos os momentos.

A Deus, início e fim de tudo.

Amo muito todos vocês.

# sumário

um    faça a sua vida valer a pena, **12**

dois    até quando as pessoas vão viver desse jeito?, **20**

três    perigo: solidão pode matar, **32**

quatro    faça conexões pra valer, **46**

cinco    crie times imbatíveis em sua vida, **80**

seis    o superpoder do afeto, **102**

sete    Transição Afetiva Universal, **142**

oito    aumente a sua Inteligência Afetiva, **156**

nove    cinco princípios antes da despedida, **178**

## UM

# Faça a sua vida valer a pena

Alguns anos atrás, um dos meus melhores amigos, do tempo da formação de terapeuta, me ligou: "Roberto, você tem um minuto?" E eu disse: "É lógico!" Então, meu amigo falou: "É que... estou pensando em me matar no sábado."

Eu tomei um choque daqueles. Consegue imaginar ouvir uma coisa dessas de um amigo querido e, ainda por cima, cheio de vida?

Imediatamente, pensei: *Ele está sem vínculo afetivo, pois acha que não fará falta para ninguém. Preciso ajudá-lo a criar esse laço, urgentemente.*

Lembrei que ele tinha três netos e era apaixonado por eles. Nesse momento, perguntei: "Como é que você acha que seus netos vão se sentir quando souberem que o avô se matou, apesar de ter o amor deles?" A isso, meu amigo respondeu: "Roberto, seu desgraçado! Eu não posso nem me matar em paz!" E, então, eu lhe disse: "Veja, se você me procurou, é porque tem uma parte da sua mente que quer viver e sabe que eu nunca aceitaria que você fizesse algo contra a sua vida".

Certamente, a parte do meu amigo que queria viver me chamou para fazê-lo mudar de ideia. E era exatamente o que eu ia fazer. Ele estava atravessando um momento em que não se sentia amado por ninguém, mas sabia que era um ser humano imprescindível para muita gente. Por isso, decidi falar dos seus netos: "Como estão os netos?"

Quando meu amigo foi falar deles, já começou a chorar: "Sabe, Roberto, eu estou me sentindo tão inútil...".

Saiba que ele havia sido um dos psicoterapeutas mais famosos do Brasil, com uma família linda, e, mesmo assim, estava tomado de uma sensação de não se sentir importante.

Eu dei um jeito de nos encontrarmos naquele mesmo dia e, ao vê-lo, pedi novamente que falasse dos netos.

Ele sorria quando falava dos netos. Dizia que as crianças estavam crescendo superfelizes e falou também da sensação de inutilidade que ele estava sentindo naquele momento.

Foi a partir desse encontro que ele compreendeu que precisava de ajuda e aceitou realizar um programa indicado por mim para que pudesse, novamente, reabastecer a sua alma de carinho.

> Você já se sentiu um inútil?
>
> É bem possível que sim. É provável que, em algum momento desses últimos anos, você tenha pensado ou tido a sensação de que, se sumisse, ninguém sentiria a sua falta.
>
> E pode ser que seu cônjuge, seus pais, seus filhos, seus sócios também tenham tido esse pensamento terrível de indiferença entre viver ou morrer.
>
> *Roberto, e o que causa esse tipo de sensação desesperadora?*
>
> Hoje, o mundo vive uma epidemia de sofrimento da alma, que está alimentando as doenças mentais.

Quantas pessoas você conhece que lutam contra os sentimentos de abandono, incapacidade, exaustão e, por isso, vivem preocupadas, depressivas e angustiadas?

Quantas mães fizeram tudo pelos filhos e, agora que eles cresceram, se sentem sozinhas e vazias? Quantos donos de empresas olham seus funcionários confraternizando na hora do

INTELIGÊNCIA AFETIVA É A HABILIDADE DE COMPREENDER, ASSIMILAR E USAR AFETIVAMENTE NOSSOS PENSAMENTOS, NOSSAS EMOÇÕES E AÇÕES NOS VÍNCULOS INTERPESSOAIS PARA CULTIVAR RELACIONAMENTOS PLENOS.

almoço e os inveja, pois, no fim do dia, esse chefe tem uma grande empresa, mas não tem amizades?

Pois a gente tem que dar um jeito de se sentir amado e ajudar as pessoas a se sentirem importantes. Essa é a vacina contra a epidemia de aflições que assola o planeta. O lado B dessa história é que, se não dermos a devida importância às conexões de afeto verdadeiro, há uma grande possibilidade de nos transformarmos em seres humanos amargos, agressivos, improdutivos, cruéis e até sem vontade de viver, como o meu amigo.

É por isso que o tema Inteligência Afetiva se tornou, inevitavelmente, fundamental.

Inteligência Afetiva é a habilidade de compreender, assimilar e usar afetivamente nossos pensamentos, nossas emoções e ações nos vínculos interpessoais para cultivar relacionamentos plenos. É o elo que conecta corpo, cognição, emoção e ação, permitindo-nos responder de maneira adequada às diversas situações que encontramos diariamente em todos os tipos de relações. É a base de uma comunicação eficaz, da compreensão empática e da promoção da harmonia em nossos relacionamentos.

No mundo de hoje, cada vez mais digital, é crucial interpretar corretamente as emoções e intenções por trás das palavras e ações, on-line ou off-line.

Desenvolver essa inteligência é fundamental para estabelecer relacionamentos saudáveis e enriquecedores e nutrir nossas interações pessoais, profissionais e sociais, facilitando a colaboração e o entendimento.

Ignorar o poder de sua Inteligência Afetiva é como ter uma venda sobre os olhos e tomar as decisões erradas por não se enxergar, não enxergar o outro nem o grupo.

Você sabia que a maioria dos conquistadores de dinheiro e poder se sentem vazios e vão se entupir de comida, transar adoidado e comprar carro sofisticado, atitudes que só aumentam esse vazio? Você se vê entre eles?

É como diz o filósofo argentino Juan Carlos Picasso: esse vazio é como aquele sujeito que sente sede e come doce de leite; em um primeiro momento, ele até sente um gosto delicioso, mas, no minuto seguinte, percebe que está com mais sede. No momento do carro novo, ou do sexo casual, o sujeito se sente alegre, mas no instante seguinte vem o vazio de uma vida sem amor. Muita gente pode até achar que consegue passar sem amor, só que a falta dele traz irritação, ansiedade, angústia, depressão e até burnout (exaustão).

Agora, pior é a pessoa que se mata em seus projetos profissionais e fica angustiada quando não realiza suas metas, pois esse "fracasso" faz que se sinta uma verdadeira perdedora. Espere aí que tem situação ainda pior: quando, mesmo fazendo sucesso, a pessoa continua se sentindo miserável, porque se compara com outras de mais posses e, assim, acaba sempre se achando inferior. Por mais que conquiste suas metas, se reconhece como alguém miserável.

Se você é uma dessas pessoas e está cansado de ter riqueza sem alegria de viver ou está cansado de lutar desesperadamente sem conseguir o mínimo para ter um estilo de vida pleno, saiba que este livro foi escrito para você.

Tenho alunos de mentoria que já conquistaram muito dinheiro e, mesmo assim, continuam não se sentindo importantes. Eles descobriram que o dinheiro que têm é importante para impressionar os outros, mas não faz com que eles se sintam importantes. E, se o dinheiro vira sua referência de vida, você acaba se comportando de modo paranoico com todos ao seu redor, acreditando que só se aproximam de você pela grana e não pela sua companhia. Até na relação com seus filhos você se complica: pensa que eles estão movidos pelo mesmo tipo de interesse.

O SEU GRANDE
DESAFIO É
COLOCAR AMOR
VERDADEIRO
NA SUA VIDA.

Talvez você até já tenha conseguido, muitas vezes, conquistar os homens e as mulheres que desejava, mas esses relacionamentos não o fizeram se sentir importante, foram superficiais – ou seja, não foram relacionamentos de alma. Com isso, você já descobriu ou sentiu que é um passatempo na vida das pessoas. Pois saiba que, se você já aprendeu a conquistar, agora precisa aprender a amar e se deixar ser amado.

Preste atenção ao que eu vou lhe dizer: o seu problema não é trabalhar mais para ter sucesso, nem lutar como se fosse um náufrago para viver um grande amor; o seu grande desafio é colocar amor verdadeiro na sua vida.

Então eu convido você a conhecer, desenvolver e aplicar a Inteligência Afetiva.

Ao ler este livro, você vai descobrir que existe um caminho eficaz para desenvolver essa inteligência e usufruir de uma plenitude permanente. Agora, para conseguir essa realização, vai ter que levar uma vida *com significado*. Quero que você acredite que é possível ter uma vida de sucesso com felicidade. Porque felicidade é não ter que escolher entre bens materiais e espiritualidade, nem entre amor e dinheiro ou entre viagens e um lar gostoso para viver com sua família.

**Você merece realizar todos os sonhos que tiver, durante a sua trajetória, em todas as áreas da sua vida.**

Se você está cansado de se sentir sem importância, de não saber o que fazer com as pessoas que ama, nem como ajudá-las a se sentirem felizes, plenas e realizadas, este livro, a partir de agora, vai ser obrigatório na sua vida.

Boa viagem!

DOIS

# ATÉ QUANDO AS PESSOAS VÃO VIVER DESSE JEITO?

Quando observamos as empresas, são notáveis as dificuldades causadas por problemas relacionados à saúde mental. Esses transtornos são tão significativos que representam, hoje, no Brasil, a terceira causa pela qual as pessoas pedem licença médica.

Muita gente diz que as empresas estimulam a competição, as metas cada vez mais inatingíveis, os ambientes frios de afeto. Mas talvez você não tenha se dado conta de que esse tipo de mentalidade está prejudicando a saúde mental de um número crescente de pessoas, pois cria a sensação de que estão sendo rejeitadas, abandonadas. Elas se sentem dependentes e, com frequência, impotentes para realizar os seus objetivos de vida.

Aí está: quando olhamos as razões de tantos distúrbios mentais, descobrimos que é porque as pessoas têm um medo enorme de serem demitidas, desvalorizadas, preteridas, a tal ponto que terminam com o sentimento de serem rejeitadas ou abandonadas antes mesmo que isso aconteça.

Observe que há diferença entre essas duas sensações: rejeição e abandono. As pessoas se sentem rejeitadas quando o outro procura se livrar delas. Já quando sentem que perderam a importância para alguém, podemos dizer que elas se sentem abandonadas.

Aqui fica uma pergunta: algum desses sintomas tem sido seu companheiro de vida? Você tem vivido depressivo, angustiado, exausto ou irritado a maior parte do tempo? Saiba que sofrer desses sintomas não precisa ser a sua maldição. Você tem o direito e a possibilidade de viver uma vida de plenitude. Você pode acordar feliz com as possibilidades da sua vida e ir dormir pleno pelo dia que viveu. E DABA não tem que ser uma sina.

*Roberto, o que é DABA?*

DABA é um conjunto de sintomas que mapeei conversando com as áreas de recursos humanos das empresas que me pediam palestra. Trata-se das quatro maiores queixas dos profissionais, que têm se tornado cada vez mais comuns não só no trabalho, mas também na vida pessoal: depressão, ansiedade, burnout e agressividade. Esses sintomas se alternam e vão se agravando.

A angústia pode levar à depressão, que pode criar a agressividade e levar ao burnout. *Caraca*, você deve estar pensando, *não sabia que a coisa poderia ir tão longe!*

Mas vai. Esses sintomas podem se manifestar de diferentes maneiras, porém todos eles têm em comum a origem relacionada à solidão, somada ao estresse e à pressão que as pessoas enfrentam em suas vidas.

Temos a sensação de que quase todas as pessoas se sentem abandonadas ou rejeitadas, incompetentes e impotentes pelo menos em um dia da semana.

No trabalho, DABA pode se manifestar como resultado de uma falta do sentimento de se sentir importante, principalmente pela carga excessiva de tarefas, prazos apertados, pressão para alcançar metas e expectativas irreais. Quando essas condições se tornam constantes, o profissional pode começar a apresentar sinais de esgotamento físico e mental. Com frequência, ou até inevitavelmente, ter a sensação de abandono, incompetência e rejeição.

Isso é bem grave.

Nas relações afetivas, as dificuldades do casal geralmente ocorrem porque um dos dois ou os dois não se sentem valorizados. E acabam passando por momentos de angústia que evoluem para depressão, com episódios de agressividade que levam à exaustão. Consequentemente, esses sentimentos fazem que o casal desista do relacionamento, ambos se sentindo incapazes e com uma forte sensação de fracasso.

*Roberto, mas precisa ser assim?*

Dê uma acompanhada nesta história e me diga você. Era uma vez Ana e Pedro, um casal extraordinário que se amava com muita intensidade. No entanto, ao longo do tempo, eles começaram a se perder nas armadilhas do cotidiano e deixaram de enxergar as coisas boas um do outro, concentrando-se apenas nos defeitos e erros.

Ana, uma mulher apaixonada pelas artes, sempre admirou a criatividade e a sensibilidade de Pedro. Mas passou a se incomodar com sua desorganização e falta de comprometimento com os afazeres domésticos.

Pedro, por sua vez, um homem amoroso e dedicado, se encantava com a inteligência e a determinação de Ana. Contudo, começou a se frustrar com sua rigidez e dificuldade em aceitar as pequenas falhas dele.

Conforme o tempo passava, os elogios e as palavras de amor deram lugar a críticas e discussões constantes. O que antes era uma dança harmoniosa se transformou em um duelo de acusações.

Um dia, exaustos dessa dinâmica desgastante, Ana e Pedro acharam melhor se separar. Ambos se sentiam desvalorizados e magoados, acreditando que o amor que um dia os uniu havia desaparecido.

Mas a separação lhes trouxe a oportunidade de refletir sobre suas próprias atitudes. De cabeça fria, eles se lembraram das razões pelas quais tinham escolhido ficar juntos. E acreditaram que aquele amor merecia uma nova chance.

Em meio à dor da separação, Ana e Pedro se encontraram novamente. Conseguiram conversar e pedir desculpas pelos equívocos cometidos. Perceberam que amar é olhar além dos erros, valorizando as virtudes do outro.

Quantas vezes você vê casais que se separam ainda que os dois se amem, como se estivessem cegos por não enxergarem mais o amor que existia entre eles? Talvez você mesmo esteja pensando que a separação é a única saída, já que não consegue mais perceber e sentir o amor em seu relacionamento.

E, para piorar, geralmente quando você se torna vítima de DABA, acaba mergulhando em um isolamento social, o que pode tornar ainda mais difícil buscar ajuda...

DABA surge como uma sombra que parece tornar impossível fazer que a vida volte a ser uma fonte de amor e realização.

Quando está com os sintomas de DABA, você costuma voltar para casa exausto, com a sensação de viver enxugando gelo. Você mais parece sobrevivente de um campo de guerra onde alguns projetos estão acontecendo, mas tem a sensação de que o preço que está pagando é muito alto... e o pior é a quantidade de projetos que você irá assumir, mas não conseguirá realizar.

Quantas vezes, na solidão do seu quarto, vem a pergunta: quando eu vou voltar a ser dono da minha vida?

Agora é chegado um momento de reflexão sobre o seu estilo de vida: será que você está sofrendo de DABA?

Olhe para você: tomado por tantas metas e projetos, trabalhando sem ter um momento em que se sinta especial, pois parece que tudo virou prazo e que quem não consegue cumprir prazos se transforma em um perdedor. Não importa como as pessoas o veem, você se sente um fracassado de qualquer jeito.

AMAR É OLHAR
ALÉM DOS ERROS,
VALORIZANDO
AS VIRTUDES
DO OUTRO.

Você vive angustiado há tanto tempo que acaba nem se dando conta de que parou de confiar nas pessoas que poderiam ajudá-lo. Está depressivo e se isola de tudo e de todos, pois muitas vezes procura esconder que está com depressão porque sente vergonha. Mas fica tão irritado que estoura com as pessoas, em diversas situações do seu cotidiano, quase sempre por qualquer coisa. Esse estado de depressão, somado à angústia, o leva inevitavelmente à exaustão.

Você vai à farmácia e compra um calmante ou uma vitamina, pensando que vai resolver tudo, e acaba descobrindo que está cada dia mais exausto. E fica mais angustiado ao ver que a sua solidão se torna um hábito rotineiro.

Quer outro exemplo?

Observe a sua filha adolescente: se ela estiver com DABA, certamente vive preocupada, bastante angustiada, até que um dia você percebe que ela mergulhou na depressão e se trancou no quarto. Você fica preocupado, entra no quarto dela e começa a sugerir que ela procure uma psicóloga. Nesse momento, ela responde com agressividade, a partir de uma explosão emocional, e então você se pergunta: *Por que ela se ofendeu desse jeito?*

Depois de mais uma crise de choro de sua filha, você se dá conta de que ela está exausta. E, então, você começa a se perguntar se existe um jeito de evitar esse círculo vicioso, já que essas crises ocorrem repetidamente.

As vítimas de DABA estão em todos os lugares.

Na vida profissional, por exemplo: imagine que um funcionário esteja focado em um projeto em que ele se sinta isolado, simplesmente trabalhando como um robô que foi programado para exercer uma função específica. Na medida em que o tempo passa, vai começar a apresentar sinais de cansaço constante, falta de motivação e apatia. Em geral, a solidão que ele sente vai incapacitá-lo de buscar ajuda, pois ele ainda não tem consciência de que está sofrendo os sintomas de DABA. E, por não saber reconhecer os sintomas, o profissional pode passar a ter comportamentos agressivos frequentes no ambiente de trabalho, que vão reforçar e aumentar ainda mais sua solidão.

Na vida pessoal, imagine que uma pessoa esteja passando por problemas financeiros e se isolando cada vez mais. A exaustão, a angústia e a irritabilidade só aumentam os problemas financeiros. Se ela se isolar, vai acabar se sentindo mais abandonada, incompetente e rejeitada.

Um dia desses, um casal de amigos – ele muito rico, criador de gado – me convidou para jantar na casa deles. Na hora da sobremesa, fui com ele até a cozinha e perguntei: "Como é que você está?" Ao que ele me respondeu: "Pô, Roberto, estou desesperado." Eu quis saber o motivo, e ele me confidenciou: "Putz, não estou mais conseguindo exportar a carne por suspeita da doença da vaca louca, e minha dívida com o banco está gigantesca. Mas a Mônica não está nem aí, acabou de ir para a Disney com os filhos dela e gastou nessa viagem mais de 50 mil dólares". Então, eu perguntei: "E você falou para ela que está com problemas financeiros?".

Sabe qual foi a resposta do meu amigo? Que não, mas que achava que ela tinha a obrigação de perceber as dificuldades. Ele tinha se isolado dela.

Você se identifica com alguma dessas situações? Quanto mais você se dedica às suas metas, mais é vítima da sensação de que tudo está errado e acaba se sentindo abandonado, incompetente e traído?

## **VOCÊ MERECE UMA VIDA TRANSBORDANDO DE AMOR**

Quando você analisa o que está acontecendo, se dá conta de que essas sensações são suas conhecidas desde a infância. Se seus pais, por exemplo, foram muito rígidos com relação às suas falhas, é bem provável que você tenha crescido com o sentimento de não ser aceito. E, por isso, vive a sensação de medo de ser rejeitado.

Outro momento é quando você se dá conta, por meio das suas lembranças, de que seus pais não lhe deram afeto ou atenção. Um beijo, um abraço, uma palavra carinhosa. E você se sente rejeitado o tempo todo ou com medo. Mesmo que seus pais tenham sido presentes, se esses sentimentos permanecem com você desde a infância, é provável que eles não tenham estimulado o suficiente a sua autonomia. Ou seja, você foi treinado para aceitar tudo, e os outros faziam e pensavam por você. Isso o impossibilitou de tomar as próprias decisões e, assim, você aprendeu a ser inseguro e sempre acreditar que o outro é melhor do que você. Resultado? Tornou-se dependente da opinião e da aprovação alheia, em todas as áreas da sua vida.

Lucas cresceu em uma casa com pais ocupados demais para dedicar tempo e atenção ao filho. E isso fez dele uma criança que se sentia sozinha e desamparada, sem ter com quem compartilhar suas alegrias e tristezas.

Consequentemente, o garoto se tornou um adulto dependente da opinião e da aprovação dos outros. Ele queria muito ser aceito e valorizado pelos amigos e colegas de trabalho. Esforçava-se ao máximo para ser simpático e prestativo, mas, ainda assim, muitas vezes era tomado pela frustração e pelo desânimo quando não recebia o reconhecimento que esperava.

QUERO NÃO APENAS QUE VOCÊ CREIA NA ABUNDÂNCIA DO AMOR, MAS TAMBÉM QUE CONSTRUA ESSA REALIDADE PARA SI MESMO.

Com dificuldade para tomar as próprias decisões, ele se sentia inseguro e desconfiado da própria capacidade. Isso acabou afetando sua vida pessoal e profissional, pois não conseguia se impor e defender seus interesses.

Tão ruim quanto não ter a autonomia fortalecida na infância é ter sido colocado debaixo de metas inatingíveis durante esse período. Por exemplo, quando você ouvia dos seus pais: "A minha filha tem que ser uma top model!" ou "O meu filho tem que ser um dos melhores jogadores de futebol do mundo, um novo Messi". Essa cobrança injusta ficou registrada na sua memória, mesmo que inconscientemente, e permanece em você até hoje. Por isso, você tem a sensação de que nada do que faz é o bastante.

Então eu lhe pergunto: até quando você pretende permitir que a sua vida seja controlada por esse estado depressivo, angustiado, exausto ou irritado? Ou vai tomar uma atitude e recuperar a sua saúde mental enquanto é tempo? Se você está em um estado grave, com alguns sintomas de DABA, procure um médico, porque a medicação pode ser fundamental para diminuir os sintomas. Mas saiba que os remédios, na maioria das vezes, serão um tratamento paliativo. Para que consiga compreender e identificar os sintomas, tomando consciência do seu estado atual, precisa se permitir buscar ajuda e ir além. Só assim poderá ultrapassar as barreiras que estão prejudicando a sua saúde mental e impedindo você de viver uma vida verdadeiramente saudável e feliz.

Para sair dessa loucura que é viver com DABA, será fundamental trabalhar em três frentes:

- Mudar o seu estilo de vida, colocando a Inteligência Afetiva na sua maneira de se relacionar;

- Participar de grupos de pessoas que sejam abundantes em afeto e alegria;
- Criar rotinas na sua vida profissional e pessoal nas quais você se sinta amado, e ajudar as pessoas ao seu redor a se sentirem muito amadas.

Talvez você não acredite na possibilidade de uma vida transbordando de amor, mas é por isso que eu estou aqui: para ajudá-lo a mudar essa perspectiva. Quero não apenas que você creia na abundância do amor, mas também que construa essa realidade para si mesmo. E não estou falando apenas de sonhar com uma vida plena de carinho e conexão, mas de vivê-la intensamente. Como você merece e como você terá.

## TRÊS

# PERIGO: SOLIDÃO PODE MATAR

Gente solitária cria relacionamentos frios e, muitas vezes, destrutivos.

O ser humano se adapta a tudo, inclusive a uma vida miserável. "Roberto, eu vivo só, mas não preciso de ninguém para estar feliz." É impressionante o número de pessoas que têm a ilusão de que vão ser psicologicamente saudáveis vivendo mergulhadas na solidão.

Elas não percebem que, quando aceitam a solidão, criam uma armadilha para si mesmas... Induzem o cérebro a um estado parecido com a fisiologia de uma pessoa em greve de fome.

Calma, que vou explicar essa analogia.

Sempre ficamos chocados ao saber que alguém está em greve de fome, que, aliás, é uma maneira famosa de protesto. Nós nos perguntamos: "Como a pessoa consegue ter total domínio de seu corpo, resistir à necessidade de alimento, mesmo com a possibilidade de morrer?". Talvez esse seja um dos maiores exemplos do domínio do homem sobre o próprio corpo e a própria vontade.

Durante uma greve de fome, o ser humano passa por três fases. Na primeira, sente fome extrema e dores por todo o corpo, principalmente no abdômen. Se lhe perguntarem qual é o tamanho da sua fome, ele responderá: "A minha impressão é de que comeria um boi inteiro e continuaria com fome".

Na segunda fase, o organismo procura se adaptar à dor da fome. Ele se torna indiferente ao alimento, aparentando não ter nenhuma necessidade dele, ainda que, na realidade, haja uma carência extrema de alimento.

Na terceira fase, começa a haver rejeição ao alimento, pois o organismo já não tem mais condições de digeri-lo. A pessoa está quase em estado de choque. Se ela comer nessa fase, com certeza vai vomitar, podendo até ser vítima de uma intoxicação alimentar.

Para recuperar alguém que acabou de passar por um período de fome, não adianta servir um pratão de comida. É preciso começar devagar, com soro e alimentação leve, para, aos poucos, reacostumar o organismo a processar a comida.

Talvez você tenha experimentado isso, em menor grau, se já aconteceu de tomar um cafezinho rápido pela manhã, passar o dia todo ocupado, sem tempo para almoçar, e só se alimentar à noite. Se estiver acostumado a almoçar por volta do meio-dia, à 1 hora vai estar faminto e, próximo das 3 da tarde, com uma forte dor de cabeça. Já à noite, a fome, de certa maneira, terá cessado, e então você não conseguirá nem poderá se servir de um prato muito cheio de comida, pois provavelmente passará mal.

Em nossa vida afetiva acontece a mesma coisa.

No começo de uma união, a pessoa está sofrendo com a solidão e topa qualquer tipo de relacionamento. Mas, depois de um tempo, recusa a possibilidade de estar com alguém. Esse mecanismo cria três tipos de perfis comportamentais:

- O insaciável, que topa todo tipo de relacionamento;
- O indiferente, que precisa estar solitário;
- O intocável, que afasta e rejeita qualquer um que queira se aproximar dele.

Pessoas com um perfil insaciável fazem qualquer coisa para ter alguém ao seu lado. Ficam o tempo todo olhando no celular para verificar se receberam alguma mensagem. Aceitam qualquer tipo de convite, seja na vida afetiva, social ou profissional. Geralmente, lutam por atenção, mesmo que por pouco tempo, pois se desesperam diante da possibilidade de se sentirem abandonadas. Será que você pode estar se sentindo um insaciável de afeto?

Já os indiferentes são pessoas que pararam de sentir fome de afeto e organizaram a sua vida de tal maneira que preferem estar sozinhas. Seu apartamento tem de tudo; assinam todos os serviços de *streaming* e em geral se vestem sobriamente. Constroem seu escritório para não ter que falar com muita gente. Adoram andar e viajar sozinhos. Será que você está se tornando um indiferente?

Agora, o intocável – ou o porco espinho – representa a pessoa que afasta todos os que se aproximam dela. Apesar de precisar de amor, ele rejeita quem se aproxima, trata a tudo e a todos com desconfiança excessiva, a ponto de não querer começar a criar um vínculo afetivo. Por já ter vivenciado muitas decepções, acredita, de forma consciente ou inconsciente, que será traído ao se relacionar, ou que nada dará certo. Será que você se transformou em um intocável?

As pessoas estão procurando substitutos para tudo: vitaminas em vez de alimentos, profissionais do sexo em vez de amor, redes sociais em vez de amizades. Mas quem precisa de amor não deve buscar substituto.

Sexo é sexo, e não amor.
Comida é comida, e não amor.
Dinheiro é dinheiro, e não amor.
Carro é carro, e não amor.
Seguidores nas redes sociais são seguidores, e não amor.

QUEM PRECISA
DE AMOR NÃO
DEVE BUSCAR
SUBSTITUTO.

Amor é amor!

Se você fechar os olhos e buscar recordações da sua infância, vai lembrar que muitas vezes seus pais substituíram amor por presentes, comida, brinquedos ou mesmo dinheiro. E, *por isso*, até hoje você busca substitutos.

Pessoas que agem como o tipo intocável, procurando substitutos para o amor, geralmente vivem caçando defeito em todo mundo. Talvez você mesmo seja esse tipo de pessoa, que encontra alguém, começa a sair, a curtir e se apaixona. Entretanto, em pouco tempo vê um problema, passa a criticar o outro, arruma um jeito de brigar, de criar conflito, se decepcionar e ficar solitário novamente.

Pronto, está formado o ciclo da falta de amor: quando você escolhe o isolamento, cria também um processo mental destrutivo, ou seja, utiliza essas atitudes como defesa, mesmo que inconscientemente. Acredita que melhor do que ser rejeitado é já sair rejeitando todos que se aproximam ou tentam se relacionar com você.

Será que você vive no ciclo da falta de amor?

Vamos dar uma olhada mais de perto no processo.

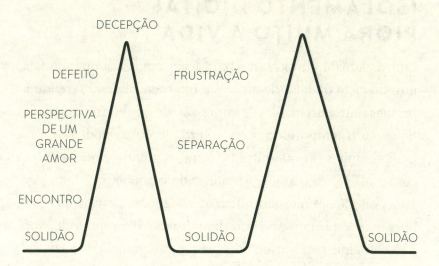

É como se a pessoa estivesse tentando dizer a si mesma: *Deixe eu ver se esse cara/essa mulher merece minha confiança para eu me entregar ao amor.*

O grande problema é que o intocável vai pondo tantos obstáculos em seus relacionamentos que os impede de acontecer verdadeiramente, com profundidade, pois não dá espaço para gerar e desenvolver vínculos afetivos. Ou seja, como forma de defesa, evita o contato, o carinho e o amor, pois sua parte saudável quer viver um grande amor, mas há também a outra parte da personalidade, que quer, a todo custo, evitar voltar a sentir e sofrer a dor da separação.

Pense um pouco nisto: com medo da separação, você acaba afastando todas as pessoas que poderiam amar você?

Pare de procurar defeitos nos outros e aprenda a compartilhar o amor que existe dentro de você. Lembre-se de que todos nós temos Inteligência Afetiva disponível para lidar do jeito certo com essas questões: estar conectado com si mesmo, com o outro e com o grupo. Perceba que o amor, quando guardado escondido, apodrece, como as maçãs esquecidas no fundo da fruteira.

## ISOLAMENTO DIGITAL PIORA MUITO A VIDA

Outro elemento importante para levar em conta quando falamos do ciclo da falta de amor é a internet. Ela está fazendo as pessoas murcharem. Cria a impressão de que estamos cercados de gente o tempo todo, mas a verdade é que podemos estar mais sozinhos do que nunca. Como resultado, você conversa com mais pessoas on-line e sente, cada vez mais, que falta algo. Essas interações não são suficientes, não são afetivas; por isso, apesar de estar conversando digitalmente o tempo todo, você não consegue explicar de onde vem essa sensação de vazio.

*E de onde ela vem, então, Roberto?*

As telas cansam os olhos e o cérebro, e pouco alimentam o coração.

A interação digital, apesar de intensa, não é profunda o suficiente para que possamos compartilhar todos os sentimentos, criar conexões e fortalecer vínculos afetivos.

Temos oportunidades de conexões digitais infinitas; no entanto, isso não significa que as pessoas estejam mais próximas. Você já percebeu que, mesmo conectado, às vezes se sente mais solitário?

Nas residências, você raramente vê as famílias assistindo a um filme juntas. Por quê? Porque um está com o celular, outro está com o tablet e o terceiro está assistindo a um filme no computador, geralmente cada um em um cômodo distinto. Muitas pessoas que vivem juntas estão afastadas, em isolamento digital e social, carentes de afeto. Precisam ter consciência de como conseguir a atenção de que precisam, desenvolvê-la e praticar essa habilidade. E de uma maneira que funcione, que supra suas necessidades de modo transformador, a ponto de criar uma troca afetiva saudável.

As redes sociais também podem nos iludir com relação à nossa plenitude afetiva.

Sem a interação física, é possível passar a acreditar que ter seguidores é sinônimo de afeto. Como se isso significasse que, quanto maior o número de pessoas seguindo você, mais amado você vai se sentir. Pelo contrário, as redes sociais existem para vender anúncios, o que significa que essas empresas investem em estratégias cada vez mais sofisticadas para prender a nossa atenção pelo maior tempo possível.

Para isso, as redes sociais reproduzem sistemas de recompensa de dopamina no nosso cérebro: toda vez que alguém curte, comenta ou dá destaque para você nas redes sociais, é como receber um pequeno carinho. É uma recompensa similar a ser enxergado, acolhido. E, assim, as pessoas se viciam nessa sensação, que é uma ilusão de afeto, gerando cada vez mais solidão em nossa vida. Essas interações não oferecem e, com certeza, nunca oferecerão a mesma qualidade de carinho que uma interação direta, presencial, ao vivo.

Na verdade, é como comer um bolo industrializado, desses de supermercado, e com o tempo começar a acreditar que aquilo pode ser um bolo de aniversário com recheio, cobertura e até velinhas, com a presença das pessoas que amamos e que nos transmitem amor, com abraços e olhares carinhosos. As redes sociais são como "feiras" para prender nossa atenção, mas nos deixam vulneráveis, com mais solidão e ansiedade, porque o que essas interações digitais oferecem é a versão afetiva das calorias vazias. E esse é um combustível poderoso para DABA.

Pois a fome continua ali.

As redes sociais costumam alimentar a ilusão de que nós estamos nos sentindo amados, mas o que acontece é a mesma ilusão que citei antes: querer matar a sede com doce de leite. Seguidores escrevendo que você é o máximo é como uma colher de doce de leite na sua boca: adoça por alguns instantes,

> Se você quiser saber um pouco mais sobre esse tema, assista ao documentário da Netflix chamado *O dilema das redes*.[1]

mas não mata a sua sede de amor. Por mais que faça bem à alma, no momento seguinte vem a dor de ter os sintomas de DABA. Assim, sem perceber, a vida vai ficando mais "pobre" e os contatos, cada vez mais superficiais.

---

[1] O DILEMA das redes. Direção: Jeff Orlowski. EUA: Exposure Labs, Argent Pictures, The Space Program, Agent Pictures, 2020. Vídeo (94 min). Disponível em: https://www.netflix.com/title/81254224. Acesso em: 7 jul. 2023.

AS REDES SOCIAIS SÃO UM NEGÓCIO QUE AS GRANDES EMPRESAS, QUE NÃO ESTÃO INTERESSADAS EM CRIAR MAIS PLENITUDE, OFERECEM E DISPONIBILIZAM A TODOS, MAS COM O INTUITO DE AUMENTAR OS SEUS LUCROS, MESMO QUE SEJA À CUSTA DA ILUSÃO DE BILHÕES DE PESSOAS.

As redes sociais são um negócio que as grandes empresas, que não estão interessadas em criar mais plenitude, oferecem e disponibilizam a todos, mas com o intuito de aumentar os seus lucros, mesmo que seja à custa da ilusão de bilhões de pessoas.

Para piorar, você é convidado a se sentir sempre inferior, pois os outros têm mais seguidores, uma vida mais luxuosa, com mais vitórias, enquanto você se olha no espelho e vê sempre uma pessoa que precisa ser mais vista, mais aplaudida.

Pô, pare de se colocar nessa armadilha!

"A natureza não perdoa!" Se você precisa estar mais em contato com si mesmo e com os outros e usar sua Inteligência Afetiva, mas não valoriza essa necessidade, acredite: surgirão fortes dores de cabeça, gastrite, alergias, insônia e angústias que se tornarão frequentes na sua vida. E, então, a natureza dentro de você começará a gritar por colo, atenção, e, pior ainda, você não perceberá que, sem afeto, vai continuar adoecendo. Afinal, nem as redes sociais, nem os comprimidos curam a falta de amor. Mais uma vez, é a sombra de DABA ameaçando o seu céu azul.

Com a mesma falta de atenção que alguém tem pelas próprias necessidades e desejos, com o mesmo desamor que tem por si próprio, acaba deixando de amar o outro também. Porém, para que ocorra uma grande transformação, que vá ao encontro da saúde mental, devemos seguir a máxima: "Amar o próximo como a si mesmo" (Mateus, 22:39).

Caso contrário, você continuará vivendo um ciclo destruidor de si mesmo e dos outros à sua volta, pois irá tratar a todos com o mesmo desprezo.

Assim como negligencia a necessidade da sua alma de receber amor, você também desprezará a necessidade de amor do outro. Como você vai amar alguém se não sabe nem amar a si mesmo?

Como consequência, a vida se enche de amargura. É quando você fica irritado o tempo todo, com pouca tolerância para as surpresas que surgem pelo caminho e, ainda, sem contato profundo com mais ninguém.

Não pague com sua saúde mental a preservação de uma imagem que inventou sobre si mesmo: alguém que vive uma realidade maravilhosa e sem problemas, alguém que ganha aplausos e está no controle o tempo todo – quando, na realidade, isso não acontece. Você vai murchando aos poucos, assim como as plantas que não recebem água, se acredita que é agindo assim que vai conseguir manter essa imagem viva.

> Se quiser conhecer a visão científica sobre o uso das redes sociais, leia a matéria de Trevor Haynes,[2] que traz uma pesquisa da Universidade Harvard mostrando sua relação com a dopamina (hormônio regulador do estresse, entre outros, que contribui para a felicidade e o bem-estar).

Quando você vive na busca permanente do "parecer" ser importante, acaba mergulhando em compulsões, garrafas de álcool, pornografia, sexo sem intimidade, assaltos à geladeira à meia-noite, obsessões por detalhes e por objetos específicos insignificantes, críticas às pessoas próximas e – até pior – realização de metas que não alimentam a sua alma.

Depois de um tempo, vai perceber que virou sócio do clube dos angustiados, no qual seus esportes são:

---

2 HAYNES, T. Dopamine, Smartphones & You: A battle for your time. **Science in the News**, 1 maio 2018. Disponível em: https://sitn.hms.harvard.edu/flash/2018/dopamine-smartphones-battle-time/. Acesso em: 30 jul. 2023.

- Ver quem compra mais;
- Ver quem toma mais remédios;
- Ver quem fica mais tempo na internet;
- Ver quem tem mais conflitos;
- Ver quem vai a mais festas e baladas.

Competições por poder ou, simplesmente, para estar certo sobre tudo são atitudes que só geram vergonha e culpa e, no final, mais depressão, angústia, exaustão e irritação. Resumindo: saia da frente do computador, largue o celular, vá conversar com seres humanos e permita-se ser feliz!

Viver angustiado não é uma maldição do destino. Pare de acreditar que você é assim, que a sua vida é dessa maneira. Aceite o desafio de realizar o novo, de pensar de novo, pois você ainda pode colocar muito amor em seus dias optando por trocar seu estilo de vida por outro com mais Inteligência Afetiva.

SAIA DA FRENTE
DO COMPUTADOR,
LARGUE O CELULAR,
VÁ CONVERSAR COM
SERES HUMANOS E
PERMITA-SE SER FELIZ!

QUATRO

# Faça conexões pra valer

Sem pensar muito, me responda: em uma escala de 1 a 10, em que ponto você situaria o nível das suas conexões hoje?

Ficou na dúvida?

Vou ajudar você a definir esse placar, estabelecendo as características das conexões pra valer e das conexões que vou chamar de vazias.

As conexões pra valer são aquelas que nos acrescentam, que fazem de nós pessoas melhores, que tornam o ambiente em que estamos um lugar melhor. Aquelas capazes de criar empatia conosco, e a quem escutamos sem reclamar quando apontam nossas vaciladas. A quem temos vontade de ajudar, com quem temos vontade de estar e compartilhar, de quem sentimos falta quando estamos longe. Aquelas por quem sentimos um afeto verdadeiro.

As conexões vazias são aquelas que aturamos porque não conseguimos ou não podemos nos desfazer delas. Aquelas que não somam, não mudam a nossa vida ou estão nela por outras circunstâncias. Aquelas que nos fazem sentir mal quando tecem críticas a nosso jeito de ser, agir, pensar, de quem muitas vezes só queremos distância, a quem não queremos mal, mas também não queremos bem, com quem nos relacionamos por qualquer outra razão que não seja um interesse genuíno. Aquelas por quem não sentimos um afeto verdadeiro.

Você não precisa de conexões vazias.

Você precisa muito de conexões pra valer.

Sem elas, estamos fadados a uma existência vazia e nos tornamos uma presa fácil para DABA (como já vimos, o conjunto de sintomas formado por depressão, ansiedade, burnout e agressividade).

O início deste caminho está aqui, nos três pilares indispensáveis da conexão humana:

- A conexão com si mesmo;
- A conexão com o outro;
- A conexão com o grupo.

Como bem escreveu a autora premiada e jornalista Jennifer Moss: "Sentir-se conectado a outro ser humano é o que nos torna humanos".

Desde o homem primitivo e suas reuniões ao redor da fogueira para compartilhar histórias, pensar e elaborar possíveis soluções para as dificuldades, o ser humano vive uma busca profunda por conexão. Hoje, porém, tendemos a ignorar essa necessidade fundamental e nos isolamos dentro de nossas próprias bolhas.

Você já se sentiu navegando pela vida em um navio sem timão, à mercê das ondas do oceano? Sentiu-se desconectado, desapegado, quase como se estivesse flutuando fora de si mesmo?

Esse é o grito silencioso da falta de conexão.

Essa é a intimidade artificial, a ilusão de que é íntimo de todo mundo, quando, na verdade, está mais distante do que nunca das pessoas com quem não consegue conversar de fato.

A desconexão é um fenômeno que exige uma análise cuidadosa, pois aponta que algo não está bem em nossa saúde mental – afinal, somos seres sociais por natureza e necessitamos conviver com outros seres humanos. A desconexão também dilui a qualidade dos seus relacionamentos e mina a sua satisfação com a vida. Os próximos passos possíveis são o isolamento e a solidão, a ponto de gerar DABA.

Você já se viu solitário em meio a uma multidão? Sente que as conversas e interações são superficiais e desprovidas de significado real? Você não está sozinho nessa luta.

Lembre-se de que a digitalização, as redes sociais e a falta de comunicação autêntica (quando a pessoa não se sente segura para expressar sua autenticidade, mostrando quem é verdadeiramente) apenas pioram o quadro.

Se fosse só isso… Nosso estilo de vida atual, o ritmo desenfreado e a falta de tempo para interações pessoais significativas, se não forem identificados e ponderados, também podem prejudicar nossos laços.

Quer saber mais? Outro fator que joga contra a saúde mental é a pressão social para que nos adequemos a padrões estabelecidos. Essa imposição nos faz temer a vulnerabilidade, o que, mesmo de maneira inconsciente, leva a pensar em quanto a falta de autoconhecimento constrói muros em vez de pontes.

O que você precisa é reencontrar o seu caminho para o vínculo afetivo verdadeiro.

## O CAMINHO PARA REDESCOBRIR A CONEXÃO HUMANA

O remédio para essa desconexão é simples de entender, pois reside em um desejo profundamente enraizado em nossa natureza humana, que é a conexão genuína.

> "Acredite que você pode e você está no meio do caminho." – Theodore Roosevelt

*Mas, Roberto, se é tão fácil, por que continuamos tão desconectados?*

Simplesmente porque a maioria das pessoas não sabem ou não conseguem estabelecer conexões autênticas com si mesmas, com os outros e com o coletivo. Não estamos usando a nossa Inteligência Afetiva. Isso ocorre mesmo percebendo que a conexão humana é uma força vital, com o poder de enriquecer nossas vidas e permitir o crescimento pessoal, a aprendizagem mútua e a experiência do amor.

Agora responda para mim e para si mesmo: você sabia da importância vital das conexões em sua vida? Sente-se conectado ou desconectado?

Estar conectado é a capacidade que você tem de compreender, interpretar e se relacionar com outras pessoas de maneira afetiva, legítima. É por meio dessa capacidade de perceber e entender as emoções, os pensamentos e os comportamentos dos outros que você entende que precisa estabelecer relações mais produtivas e satisfatórias.

E como podemos estabelecer essa empatia pelo outro?

Venha comigo, que eu explico no caminho.

**"O mundo é um espelho; se você sorrir para ele, ele sorrirá para você." – Paramahansa Yogananda**

Gente com alta conectividade tem excelente habilidade de comunicação, é capaz de se relacionar bem com uma ampla variedade de pessoas e é empática, ou seja, tem a capacidade de se colocar no lugar do outro e entender as perspectivas dele. Pessoas assim são ótimas para trabalhar em equipe, têm facilidade para liderar grupos, resolver conflitos e negociar, além de motivar e influenciar os outros. Em suma: elas possuem alto grau de Inteligência Afetiva.

VOCÊ NÃO
PRECISA DE
CONEXÕES
VAZIAS.

Vejamos um exemplo para entender melhor. Minha amiga Cynthia Greiner, jornalista que dirigiu renomadas revistas femininas, como *Nova* e *Claudia*, me contou que a chave para a sua transformação foi quando descobriu que, apesar de ser uma mulher bem-sucedida, não ficava à vontade ao interagir com outras mulheres no ambiente de trabalho. Sentia uma grande competição no ar e acabava se deixando levar por esse clima, entrando na disputa também. "Eu me conectava pelo caminho errado, já que minha preferência era por um ambiente de paz e colaboração. Então, eu continuava desconfortável com o time por estar agindo contra minhas crenças. Meu comportamento não era genuíno", lembra.

Até que decidiu prestar atenção aos sinais para entender o que, de fato, havia por trás dessa competição. Foi quando encontrou em si sentimentos de insegurança e medo. "Entendi que minha atitude precisaria ser de tranquilidade e acolhimento, em vez de ansiedade e necessidade de autoafirmação. E passei a realmente me interessar pelas emoções e necessidades dos grupos pelos quais transitava."

Recentemente, essa minha amiga participou de um seminário meu sobre o amor. Ela não conhecia ninguém que lá estava, mas, ao final do dia, já dançava e cantava no meu show de encerramento abraçada a várias participantes. Cynthia entendeu a importância de ler os sinais do grupo, entendê-los e usá-los para se conectar.

Tenho certeza de que você também poderá aprender como se conectar às pessoas e ser alguém interessante, com quem todos querem estar junto.

Acredite no poder da sua Inteligência Afetiva para mudar seus relacionamentos de empacados para fluidos. Comece a desenvolvê-la o quanto antes. Pratique ouvindo o outro ativamente, observando suas emoções e seus comportamentos e descubra a enorme vantagem de ser capaz de se comunicar de maneira clara e afetiva. Você vai perceber quanto ruído desnecessário tirou da sua frente e poderá focar o que realmente interessa.

Quero que fique muito claro para você: criar vínculos é essencial em sua carreira e nos negócios. Profissionais com alta Inteligência Afetiva são capazes de liderar equipes com grande engajamento, de negociar com sucesso e de se comunicar de maneira clara e persuasiva. Pessoas com essa habilidade são capazes de criar relacionamentos mais saudáveis e satisfatórios e de resolver conflitos de modo pacífico e produtivo.

No início do capítulo, vimos quais são os três pilares indispensáveis da conexão humana – recapitulando: a conexão com si mesmo, a conexão com o outro, a conexão com o grupo. A partir de agora, vamos estudá-los em detalhes, assim como as formas em que esses pilares se apresentam para nós: por meio da autoconsciência, da empatia e do pertencimento, respectivamente.

Pronto para esta jornada supergratificante em direção ao aperfeiçoamento da sua Inteligência Afetiva?

Vamos juntos!

## PILAR 1: CONEXÃO COM SI MESMO – AUTOCONSCIÊNCIA

Não seja escravo da falta de consciência, um drama que afeta tanta gente. Viver sem um verdadeiro entendimento de si mesmo é como estar solto no espaço sideral sem comunicação com a Terra. Ficamos flutuando à mercê das ondas de opiniões externas, perdidos em meio a confusão e incerteza.

Talvez, agora mesmo, você esteja lutando contra a falta de autoconsciência.

Esse problema geralmente se origina em um ambiente onde o autoconhecimento não é valorizado ou incentivado. Isso acontece porque a sociedade atual nos bombardeia com mensagens sobre quem devemos ser (o que nos adoece), e com frequência nos impede de descobrir quem realmente somos.

Quando você está doente, seja com ansiedade, estresse ou ambos, você acaba enfraquecido e perde essa autoconsciência, a conexão consigo e com o outro. Ou seja, a sua capacidade de lidar com esses momentos de muito estresse e frustração diminui ou se extingue a ponto de você não conseguir gerar uma conexão saudável.

Nesse momento, em que não consegue se conectar com si mesmo, você entra em um diálogo interno na maioria das vezes bem destruidor. Inevitavelmente, você perde o seu equilíbrio emocional, a ponto de acreditar que não há um caminho a seguir que o faça sentir de novo aquela paz de espírito.

Agora, quando aprende a se conectar com si mesmo, a partir das habilidades socioemocionais voltadas para desenvolver a sua Inteligência Afetiva – que é a aliada número 1 da inteligência emocional –, você começa a compreender o porquê de estar passando por momentos de agitação, preocupação e paralisação.

A boa notícia que quero dar agora é que você será capaz de perceber quando estiver prestes a entrar nesse estado negativo e fugir da armadilha da dor e do sentimento de incapacidade.

Para sair dessa situação e voltar a encontrar sua verdadeira essência, que é de gerar conexão e ser protagonista da própria vida, você precisará identificar certos sentimentos e agir com as ferramentas da Inteligência Afetiva, conforme vou contar agora.

Geralmente, você consegue identificar que entrou no **estado de agitação** quando fica acusando, criticando ou julgando alguém. Está sem empatia, sem se voltar para si, sem analisar o todo à sua volta e, muitas vezes, sem dar voz para o outro. Não escuta para compreender, pois, para você, suas convicções são as únicas válidas e aceitáveis. É quando você toma decisões precipitadas, que destroem os seus relacionamentos, acaba se sentindo traído e acredita que o melhor é ficar sozinho.

Você consegue perceber que entrou em outro estado negativo, que é o **estado de preocupação**, quando está atormentado e tomado por uma forte sensação de insegurança. Quando esse sentimento surge, você se desequilibra emocionalmente; mas, como muitas vezes desconhece que entrou nesse estado, pois vive no piloto automático da vida, fica limitado. Acredita que precisa dar conta de tudo e resolver todas as questões do seu cotidiano.

Aí bate aquele estresse e você se sente cansado, pois sua energia diminui muito. Começa a duvidar da sua capacidade de realizar e também da capacidade do outro, seja no âmbito familiar ou profissional. Mas não consegue resolver seus problemas e, por isso, se sente muito angustiado. Na sua mente, só vem as seguintes perguntas: "E se isso der errado? E se eu não conseguir ser bom o suficiente, competente para educar meus filhos ou para realizar esse projeto no trabalho?"

E o último estado negativo é o **estado de travado**. Nesse momento, como o próprio nome sugere, você está no modo paralisado. Por mais que pense, queira ou precise realizar seus projetos e demandas diárias, não consegue entrar em ação: é como se algo dentro de você não estivesse funcionando. Há um bloqueio. Então você entra em alerta, se sente em perigo, se desespera; vem o sentimento de incapacidade, de vulnerabilidade, de descrença na vida, em si e no outro. Pois, por mais que se esforce, não consegue perceber uma saída para os problemas e não há pensamento ou ideia que o ajude a sair dessa situação de impotência diante da vida.

Tudo isso porque lhe falta autoconsciência.

Enquanto você estiver procurando uma resposta no exterior, fora de si mesmo, sem se conectar com a sua essência, só vai encontrar os modelos prontos criados pela sociedade – que, na maioria das vezes, são inadequados e ineficazes.

A solução para esse problema é ouvir com calma antes de tomar uma decisão e emitir uma opinião, entender suas emoções, reconhecer seus pensamentos e comportamentos e compreender como eles impactam você e as pessoas ao seu redor.

Há uma história que ilustra bem o que é ter capacidade de estar em paz com si mesmo. Conta-se que, certo dia, um grupo de pessoas raivosas se aproximou de Buda e começou a ofendê-lo. A cada impropério que elas diziam, Buda perguntava: "E do que mais vocês não gostam em mim?". Depois da nova ofensa, ele olhava as pessoas com mais interesse e ouvia tudo em um silêncio respeitoso, até que, após algum tempo, disse ao grupo: "Vocês me desculpem, eu preciso sair porque tenho um compromisso. Mas gostaria de marcar outro encontro com vocês amanhã para que continuem a desabafar".

As pessoas ficaram surpresas, e uma delas perguntou: "Buda, o que está acontecendo? Nós estamos ofendendo você há horas, você nos ouve com o maior interesse e ainda pede que voltemos amanhã para continuar com as nossas ofensas? Pensamos que você fosse brigar conosco".

Buda, então, respondeu: "Vocês chegaram dez anos atrasados. Antes, eu realmente reagia ao que as pessoas faziam ou diziam. Hoje, consigo agir baseado em minha consciência e não nas ações dos outros".

*Mas, Roberto, eu não sou o Buda!*

Eu sei, eu sei, você não é o Buda para ter tanto autocontrole e tanta presença de espírito! Mas pode procurar ser mais sensato, por mais estressante que a situação seja. Não tenha a ilusão de que machucar alguém diminuirá a sua dor. Não pense que culpar os outros diminuirá a sua responsabilidade pelos problemas. Sempre que tiver vontade de gritar ou brigar com alguém, lembre-se: isso lhe trará novos problemas.

Então, limpe seu coração, silencie sua mente, e eu garanto que você vai encontrar a melhor solução. Não reaja à pressão dos outros. Quando perceber que está a ponto de explodir, dê-se um tempo para buscar o equilíbrio interior. Agindo assim, certamente será melhor para você e para os outros. Você pode aprender a amar de verdade.

> "A vida é 10% o que acontece comigo e 90% como eu reajo a isso." – Charles R. Swindoll

## DESENVOLVENDO A AUTOCONSCIÊNCIA

Até aqui, tudo o.k.? Então vamos às maneiras de desenvolver a autoconsciência.

Preste atenção em si mesmo ao longo do dia. Se possível, faça dessa prática um hábito, reservando um momento para meditar, por exemplo, e refletir sobre suas ações e reações a partir dos acontecimentos. Nessas ocasiões, o ideal é que você reflita sobre questões do tipo: como você interage com os outros? Como lida com estresse ou frustração?

Considere seus pensamentos, seus sentimentos e suas ações. Por que você reage assim? Quais são as causas que podem estar por trás de suas emoções e seu comportamento?

Peça a pessoas em quem confia que lhe digam como o veem. Elas podem oferecer uma perspectiva externa valiosa sobre seus padrões de comportamento. Em geral, quando o feedback é verdadeiro, embora possa acarretar um desconforto momentâneo, ele possibilita fazer descobertas de lados seus que desconhecia ou não acreditava serem relevantes ou negativos.

Aceite suas forças e fraquezas. A autoconsciência não é apenas sobre identificar áreas para melhoria, mas também reconhecer e celebrar suas qualidades. Isso porque, quando reconhece suas falhas e limitações e consegue perceber suas habilidades, que já estão interiorizadas, você está vivenciando e praticando a autoaceitação.

Fique atento: desenvolver a autoconsciência vai transformar a sua vida. Você se tornará mais confiante, tomará decisões mais sábias e construirá relacionamentos mais fortes. Não será uma jornada fácil, mas é um caminho necessário e enriquecedor. Comece hoje mesmo. Reflita, observe, escute e aceite-se; se você ficar atento e ouvir com humildade, silenciando a mente, conseguirá aproveitar essa oportunidade para o seu crescimento, que será contínuo. A partir daí, descubra quem você é e comece a viver a vida em seus próprios termos, ou seja, de maneira significativa, que faça sentido e que o faça feliz. A jornada para a autoconsciência é uma das mais valiosas que você deve empreender.

A autoconsciência, a autoaceitação e o amor-próprio são fundamentais para estabelecer uma base sólida que lhe permita conectar-se melhor com si mesmo e com os outros. À medida que você controlar suas emoções e aprender a conversar sobre suas dificuldades sem agredir ninguém, vai perceber que, além de resolver seus problemas com menos sofrimento, sua alma ficará muito mais forte.

# PILAR 2: CONEXÃO COM O OUTRO É TER EMPATIA

Muitas pessoas perdem a riqueza do encontro por não terem a sabedoria de se conectar com o próximo... E ter empatia é o início de tudo. Sem ela, não se cria vínculos.

Nós precisamos resgatar a coragem de nos emocionar com o próximo. Seja um bilionário que você acabou de conhecer na festa ou uma criança perdida na praia.

A ausência de empatia é uma questão cada vez mais presente. As pessoas estão menos sensíveis aos sentimentos e às necessidades do outro, resultando relacionamentos frágeis, falta de compreensão e conflitos constantes.

Você já se sentiu incompreendido ou desconsiderado? Já teve dificuldade em se colocar no lugar de alguém e entender suas emoções? Se respondeu "sim" a essas duas perguntas, saiba que muita gente enfrenta o mesmo desafio e anseia por uma solução.

Vamos lá. A falta de empatia pode ser atribuída a diversos fatores, como já foi dito aqui: o ritmo desembestado da vida hoje, a falta de habilidade de comunicação e a falta de consciência sobre a importância de criar vínculos com as pessoas que contam. Além disso, as distrações tecnológicas e a ênfase na individualidade têm contribuído para a diminuição da capacidade empática.

Para desenvolver e fortalecer a empatia, é necessário, para começar, adotar um método consistente e abrangente, a partir da escuta ativa e do desenvolvimento da perspectiva. Vou explicar em detalhes, leia com atenção.

QUANDO APRENDE A SE CONECTAR COM SI MESMO, A PARTIR DAS HABILIDADES SOCIOEMOCIONAIS VOLTADAS PARA DESENVOLVER A SUA INTELIGÊNCIA AFETIVA, VOCÊ COMEÇA A COMPREENDER O PORQUÊ DE ESTAR PASSANDO POR MOMENTOS DE AGITAÇÃO, PREOCUPAÇÃO E PARALISAÇÃO.

## ESCUTA ATIVA: COMPREENDENDO AS EMOÇÕES E AS NECESSIDADES DAS PESSOAS

Precisamos aprender a ouvir o outro, prestando atenção, com a intenção genuína de compreendê-lo a partir das suas necessidades. Não só por meio das palavras, mas também das expressões faciais, da linguagem corporal e do tom de voz. Esse conjunto vai nos permitir entender melhor as emoções e as necessidades das pessoas ao nosso redor.

*Roberto, pode dar exemplo de como fazer isso?*

Posso, sim. Vou citar algumas atitudes que você pode adotar: deixar a pessoa falar no ritmo dela; não interromper antes de ela ter concluído o raciocínio; não ouvir só o que você quer ouvir; não ouvir com intenção apenas de responder, mas também de entender.

Outras dicas importantes:

- Contato visual: não desvie o olhar do seu interlocutor, observe-o de maneira direta e consistente. Isso mostra respeito e que você está focado na pessoa e nas palavras dela.

- Posição corporal: posicione seu corpo de frente para a pessoa que está falando, inclinando levemente a cabeça, indicando que você está absorvendo suas palavras.

- Expressões faciais: use expressões que reflitam suas reações ao que está sendo dito. Um sorriso, uma carranca, uma expressão de surpresa – todas essas demonstrações de sentimento sinalizam que você está envolvido e entende o que está sendo dito.

- Acene com a cabeça: um aceno de cabeça ocasional diz que você está acompanhando e entendendo a conversa. Isso também pode encorajar a pessoa a continuar falando.

- Espelhe gestos: reflita a linguagem corporal do falante. Isso não significa imitar cada movimento, mas espelhar a energia e a emoção. Se a pessoa está relaxada, você também deve estar.
- Faça comentários relevantes: interrompa apenas quando tiver algo relevante a dizer ou perguntar. Assim, demonstra que está engajado e pensando ativamente sobre o que está sendo discutido.
- Reforce seu interlocutor: prove que está ouvindo, reafirmando ou parafraseando o que foi dito. Isso deixa claro que você está prestando atenção e se importa com o ponto de vista dele.
- Refira-se a ele: responda com frases que incluam "sinto que você..." ou "parece que você...". Isso mostra empatia e valida a experiência da outra pessoa.

Lembre-se: a empatia é sobre a compreensão e a partilha dos sentimentos de outra pessoa. Fazer essas coisas pode ajudar a demonstrar que você está verdadeiramente interessado e atento ao que o outro tem a dizer.

Quando as pessoas estão conectadas, a respiração delas está no mesmo ritmo, o olhar de uma encontra o da outra, mas, principalmente, o olhar entre elas transmite amor. Existe uma dança dos encontros que nos fazem evoluir como seres humanos, na qual as pessoas se retroalimentam na conexão.

## EXPANDINDO A PERSPECTIVA: DESVENDANDO OS SEGREDOS DA REALIZAÇÃO PROFISSIONAL E PESSOAL

Às vezes, você sente como se estivesse rodando em um turbilhão de insatisfação, estagnação e frustração, sem conseguir sair? Saiba que você e muitas outras pessoas enxergam a vida a partir de uma perspectiva limitada, a das próprias preocupações e demandas imediatas.

Se você se concentra apenas em suas próprias necessidades e expectativas imediatas, negligenciando uma compreensão mais profunda das dinâmicas que regem a sua vida, o resultado será insatisfação crônica, falta de motivação e dificuldade em alcançar metas, tanto na vida profissional quanto na pessoal.

Isso lhe diz respeito especialmente quando sente que está preso a uma rotina monótona, sem progresso significativo em diferentes áreas da vida. Talvez você se sinta insatisfeito e sem rumo, sem compreender por que suas ações não geram os resultados desejados.

A causa velada dessa visão limitada é uma combinação de fatores psicológicos, sociais e culturais. Em um mundo veloz e competitivo, é fácil se perder nas demandas imediatas e se esquecer de considerar o panorama mais amplo. Além disso, a educação tradicional não costuma enfatizar o desenvolvimento de uma mentalidade expandida, colocando o foco principalmente em conhecimentos técnicos. A falta de consciência sobre a importância de um quadro amplo contribui para a perpetuação desse problema.

Rompa com essa perspectiva que só limita a sua Inteligência Afetiva. Comece agora seu plano de expansão de perspectiva.

> "Você não pode cruzar o oceano apenas olhando para a água." – Rabindranath Tagore

Comece tornando-se consciente de suas próprias limitações e seus padrões de pensamento restritivos. Reflita sobre crenças, medos e expectativas que moldam sua visão de mundo. A prática regular de meditação e autoquestionamento pode ajudar a desenvolver essa autoconsciência.

Dedique alguns minutos todos os dias para analisar seus pensamentos, suas emoções e seus comportamentos. Pergunte-se: "Estou agindo de acordo com as minhas crenças e os meus valores?"; "Estou enxergando além das minhas próprias necessidades?"; "Como posso expandir minha visão hoje?".

Só assim você estará dando um passo no sentido de quebrar as barreiras mentais e expandir sua compreensão do mundo.

## DESPERTANDO A CURIOSIDADE ADORMECIDA: COMO LEVAR UMA VIDA MAIS FASCINANTE

A crescente falta de curiosidade é outra praga que nossa sociedade enfrenta. Muita gente parece não estar nem aí para o mundo ao redor, para o que está acontecendo e até mesmo para o próprio desenvolvimento pessoal. Sabe onde isso vai parar? Em uma vida monótona e limitada, sem o tesão de descobrir novas ideias, novas possibilidades e novos conhecimentos.

Se você já se pegou sem a menor vontade de sair por aí atrás das novidades, pouco interessado nas informações ao seu redor ou sem a bisbilhotice que praticava quando criança, então vai se identificar com o problema da falta de curiosidade. Atenção: essa sensação de estagnação e desinteresse pode levar a uma vida pobre e pouco significativa.

A falta de curiosidade pode ter várias causas: a rotina nossa de cada dia, a ausência de estímulos diferentes, a falta de motivação própria e até mesmo o excesso de informação. Além disso, nossa cultura, hoje, muitas vezes valoriza mais a eficiência e o resultado imediato do que a exploração e a busca pelo conhecimento. Tudo isso pode deixar a nossa curiosidade natural em estado de Bela Adormecida: dormindo.

Mas dá para tirar a curiosidade do modo soneca usando um método baseado em estudos e vivências fundamentais, como vou contar a seguir:

> "O sucesso é a soma de pequenos esforços repetidos dia após dia." – Robert Collier

- Atue fora da sua área profissional: envolva-se em atividades além do seu horizonte de trabalho. Ao explorar novos interesses e hobbies, você amplia perspectivas e estimula a curiosidade em diferentes campos. Essas atividades podem ser desde aprender a tocar um instrumento musical até explorar novos esportes ou praticar uma forma de arte.

- Estimule o cérebro: busque constantemente novos conhecimentos e informações. Livros, artigos científicos, participação em cursos, palestras e eventos, sem falar naquelas conversas enriquecedoras com gente de diferentes áreas de conhecimento ou que tenham um ponto de vista diferente do seu. Além disso, o estímulo intelectual contínuo é ouro em pó para manter sua curiosidade viva. Com ele, você expande seus horizontes e se mantém atualizado sobre diversos assuntos. Isso não apenas nutre sua mente, mas também oferece novas oportunidades de conexões e insights inovadores.

- Explore e experimente: isso o ajudará a sair da zona de conforto e se abrir para novas experiências. Algumas ideias simples para pôr em prática: mude o trajeto de sempre para o trabalho, conheça sua cidade, viaje mais para destinos surpreendentes, faça uma coisa que ainda não fez, envolva-se em projetos criativos. Busque oportunidades de aprendizado e crescimento.

- Cultive um ambiente curioso: optar conscientemente por um ambiente curioso ao seu redor é bem importante. Na medida do possível, escolha trabalhar e conviver com quem valoriza a criatividade, o novo, a quebra de paradigmas; esteja aberto a novas perspectivas e ideias. Cerque-se de pessoas curiosas e inspiradoras, que compartilham interesses e valores assim. Essas conexões estimulam discussões enriquecedoras e proporcionam um espaço para compartilhar ideias e perspectivas diversas.

A curiosidade é a chama que impulsiona a busca por conhecimento, criatividade e crescimento pessoal. Ao despertar sua curiosidade adormecida, você estará dando um passo importante em direção a uma vida mais rica, significativa e empolgante.

Desafio você a despertar sua curiosidade adormecida e abraçar a vida com entusiasmo renovado.

Desafio você a dar um "chega pra lá" no conformismo, na zona de conforto e na mesmice. Não permita que a falta de curiosidade limite seu potencial. O mundo está cheio de maravilhas, o que você está fazendo aí parado? Abra-se e abrace a curiosidade como uma bússola para uma vida mais fascinante. Acredite no poder da curiosidade e dê os primeiros passos em direção a uma jornada de autoconhecimento, aprendizado e realizações.

Lembre-se de que a curiosidade é uma habilidade que pode ser desenvolvida e cultivada ao longo do tempo, por toda a vida.

Minha amiga Cynthia me conta que foi criada por pais que falavam várias línguas em casa desde que ela consegue se lembrar, estimulavam a leitura com uma estante gigante recheada de boas obras, amavam as artes, encorajavam nela e no irmão a prática de esportes, da música e, principalmente, o convívio com pessoas de diferentes grupos. E que se sente grata por essa formação tão estimulante: "Ganhei de presente de meus pais uma visão de mundo muito enriquecida".

Conhecimento é poder e felicidade, então dedique tempo para aprender. Abra-se a novas ideias e desafie seus próprios pontos de vista.

Liberte a sua curiosidade, ela é uma grande aliada!

Ao desenvolver a escuta ativa com excelência e adotar uma perspectiva ampliada, você abrirá todo um mundo novo de possibilidades que vai alçá-lo a um nível mais profundo de realização pessoal e profissional. Com autoconsciência, curiosidade intelectual, empatia e visão de longo prazo, você se libertará das limitações autoimpostas e alcançará um novo patamar de crescimento e sucesso.

Lembre-se de que essa transformação é um processo contínuo de aprendizado e desenvolvimento. Comprometa-se com esse método e, aos poucos, você começará a colher os frutos de uma perspectiva ampliada. Não espere mais. Abrace a oportunidade de expandir sua visão e transformar sua perspectiva!

## A PRAGA SOCIAL DA INDIFERENÇA

Além da falta de curiosidade que nos assola, a indiferença é uma praga social que nos ataca. O não interesse pela dor alheia se tornou um hábito, uma regra silenciosa. Acredito que você, leitor, já se deparou com essa realidade. Quem nunca se sentiu só, sem apoio em meio a uma multidão indiferente?

A raiz desse problema é complexa. Vivemos em uma sociedade que privilegia o individualismo e o sucesso a qualquer custo. A dor do outro, pasme, é frequentemente vista como um obstáculo à própria ascensão e, assim, ignorada. Vivemos no piloto automático da "falta de tempo", principalmente quando alguém se aproxima com sua dor. Mas a verdade é que muitas vezes estamos tão sobrecarregados, resolvendo nossos próprios problemas, que mal conseguimos parar para olhar e sentir o outro.

*Roberto, e por que nos tornamos esse tipo de pessoa?*

Veja, quando estamos desconectados do nosso próprio ser interior, é inevitável que não consigamos perceber a necessidade do outro. Pois não estamos com nosso botão da compaixão "ligado" e, enquanto não trabalharmos isso, continuaremos a tratar o outro com desvalia, desprezo, como se ele fosse um empecilho a mais na nossa vida.

Mas tem solução, e ela está em um sentimento universal, porém subestimado, que é justamente a compaixão. Estudos mostram que a compaixão é capaz de criar uma ligação emocional positiva entre as pessoas, podendo ser uma ferramenta de transformação social.[3] Veja a seguir como você pode ativar a sua:

---

3 TRZECIAK, S.; MAZZARELLI, A.; SEPPÄLÄ, E. Leading with compassion has research-backed benefits. **Harvard Business Review**, 27 fev. 2023. Disponível em: https://hbr.org/2023/02/leading-with-compassion-has-research-backed-benefits. Acesso em: 8 ago. 2023.

- Experimente viver mais o momento atual, atento às pessoas e situações que o cercam. Ativar sua consciência do presente vai permitir perceber o sofrimento alheio, pois o manterá conectado ao outro, vibrando na energia de colaboração.
- Busque mergulhar na complexidade das situações e nas razões que levam as pessoas a agirem como agem e verá como fica mais fácil compreendê-las. Com paz de espírito, pois todos estarão alinhados, em harmonia.
- Transforme a compaixão em atitudes concretas que aliviam o sofrimento do outro. Compreendendo e realizando a decisão consciente de escutar genuinamente o próximo, sem pré-julgamentos, você poderá encontrar as atitudes adequadas e esperadas pelas pessoas que se aproximarem de você.

A prática constante da compaixão, tornando-a parte de seu cotidiano e de suas relações, tem um impacto positivo tanto em você quanto no próximo. Ajuda você no processo de autoaceitação e de se tratar com o carinho que merece, com amor, e também entendendo o outro em suas necessidades e fraquezas – muitas vezes, até relevando as suas limitações.

Para ilustrar, quero que conheça um caso real. Em 2018, uma mãe solo de três filhos perdeu a casa em um incêndio. Ela não tinha familiares próximos e estava desesperada. Ao tomar conhecimento da situação, um vizinho imediatamente se mobilizou. Ele estava consciente do presente, do ocorrido, observou a situação e compreendeu a urgência do problema. Agiu iniciando uma campanha de arrecadação de fundos para ajudar a família. Essa ação se estendeu até que a mãe e seus filhos tivessem um novo lar. A atitude desse homem é um exemplo de compaixão em prática, utilizando os quatro pilares propostos.

Agora é o seu momento de agir. Você pode incorporar essas lições em sua vida, mudando a maneira como se relaciona com o mundo. Não é um caminho fácil, requer esforço e dedicação. Mas os resultados são gratificantes. A compaixão não apenas ajuda os outros, mas também nos torna seres humanos melhores e mais felizes. Ela é uma poderosa ferramenta de mudança. E, quando nossas ações são um reflexo dela, tocamos a vida das pessoas e também somos tocados.

Então, eu o convido a experimentá-la. Viva o presente, compreenda, aja e persista. Quando desenvolvemos o sentimento de compaixão, somos agraciados com a grande oportunidade de praticá-lo e, assim, transformar a nossa vida e a daqueles ao nosso redor. Esse é o seu chamado à ação!

## PILAR 3: CONEXÃO COM O GRUPO: A SENSAÇÃO DE PERTENCIMENTO

Muitos de nós, em algum momento, nos deparamos com um problema inquietante: a sensação de desencaixe, de não pertencer a um grupo, de ser uma peça deslocada em nosso próprio cenário. É aquela sensação de se encontrar solitário no meio de uma multidão, de olhar para os lados e sentir como se, por algum motivo, você não pertencesse àquele lugar.

Faz sentido para você? Se essas palavras disparam um alarme interno, e você se vê com uma sensação de estranhamento, saiba que não é o único. Muita gente compartilha dessa aflição, dessa percepção de estranheza em seu próprio universo.

A raiz desse sentimento é complexa, mas pode ser atribuída, em grande parte, à fragmentação cada vez maior da sociedade.

CONHECIMENTO
É PODER E
FELICIDADE,
ENTÃO DEDIQUE
TEMPO PARA
APRENDER.
ABRA-SE A NOVAS
IDEIAS E DESAFIE
SEUS PRÓPRIOS
PONTOS DE VISTA.

Sabemos que vivemos em uma era na qual o individualismo é exaltado, em que estamos sempre em busca de realçar nossa unicidade. Essa procura, apesar de nobre, pode resultar em uma desconexão com o coletivo, uma sensação de isolamento amplificada por um mundo cada vez mais digital e menos humano.

*Mas então, Roberto, como podemos enfrentar esse problema? Como recuperar a sensação de pertencer, de ser parte de um todo maior do que nós mesmos?*

Compreendendo, respeitando, sendo autênticos e nos engajando.

Aprender a entender nossas emoções, ideias e experiências, e também as do outro, é essencial. Isso não só nos proporciona maior autoconhecimento, mas também nos possibilita perceber as semelhanças que compartilhamos com os demais, estabelecendo um terreno comum onde o sentimento de pertencimento pode se desenvolver.

Reconhecer, respeitar e valorizar as diferenças, em vez de temê-las, é a chave para a criação de grupos inclusivos. Cada ser humano é único, com suas próprias experiências e percepções de mundo. Honrar essa singularidade nos outros é um passo vital para desenvolver o nosso sentimento de pertencimento.

Não podemos esperar sentir que pertencemos se não somos genuínos nem com nós mesmos. Isso significa ser fiel aos nossos sentimentos, interesses e valores, mesmo quando eles parecem estar em desacordo com o grupo.

Pertencer a um grupo implica assumir um papel ativo nele. É engajar, ou seja, colaborar com nossas habilidades e nossos conhecimentos, participar de atividades e, acima de tudo, investir tempo e energia nas relações com os outros.

Agora que está familiarizado com esses pontos, é hora de avançar. Você tem em mãos a oportunidade de transformar a própria vida, de transitar de um sentimento de isolamento para um de pertencimento. Não será um caminho fácil, mas estou certo de que você está preparado para esse desafio. Confie em si mesmo, confie no poder desses fundamentos e inicie sua jornada em busca de um sentimento mais profundo de pertencimento.

Trabalhe junto, cresça junto, aprenda a fazer parte de um time, seja no trabalho, seja em casa. A conexão com o grupo é fundamental para o nosso crescimento.

Tempos atrás, eu trabalhava com um time que ia disputar uma vaga nas Olimpíadas e conversava com um atleta muito talentoso, mas avesso ao trabalho em grupo. Em determinado momento, sentindo que esgotara todos os recursos técnicos na conversa, perguntei a ele: "Qual é seu maior sonho?". Ele respondeu: "Roberto, a vida inteira eu me preparei para ir às Olimpíadas, e esta é minha última chance. Meu maior sonho é ir a Sydney". Então, eu lhe disse: "Pois bem, até no céu você pode entrar sozinho, mas, se quiser ir a Sydney, você só chegará lá se for com o seu time!".

É claro que eu não acredito que alguém entre no céu sozinho, mas tenho absoluta certeza de que ninguém vai sozinho às Olimpíadas. Nem os atletas de esportes individuais, pois mesmo estes precisam de pessoas que os ajudem a chegar ao seu objetivo tão desejado. E, além disso, saber que existem pessoas que estão no seu grupo por você é uma sensação indescritível. Seja para lhe dar um suporte nos bastidores, seja para orientá-lo, apoiá-lo e torcer por você.

Outro fato relevante para fazer parte de um grupo é que, mesmo nos momentos difíceis, você terá com quem contar, chorar e desabafar as derrotas e os desafios, assim como terá com quem celebrar as vitórias durante a sua disputa tão sonhada.

O mesmo é válido para todos nós: se quisermos chegar a Sydney, teremos de ir com o nosso time, independentemente do que signifique "Sydney" para cada um de nós, ou seja, nossa família, nossos amigos, um sonho ou um propósito de vida!

Em minhas palestras, é comum que grandes empresários me perguntem se algum dia as pessoas de sucesso poderão trabalhar menos. Sempre respondo: "Sim, quando aprenderem a trabalhar em equipe". Sem equipes competentes, tirar férias é um sonho impossível. Sem equipes integradas, fica muito complicado fazer avançar os projetos. Ou até se consegue realizar os planos, mas pagando o preço de ter um ataque cardíaco aos 40 anos.

No entanto, lembre-se de todas as equipes das quais você faz parte, a mais importante é sua família. Ela é a empresa mais importante da vida. A empresa na qual a moeda não é o dinheiro, e sim o amor. A família é um porta-aviões de onde as pessoas saem para voos mais ousados, pois serve de base aérea móvel, permitindo que uma força naval consiga projetar aviões a grandes distâncias. Quando a base é fraca, o voo é inseguro.

Qualquer engenheiro pode calcular a altura futura de um prédio com base no tipo de fundação que ele tem. A base do tamanho e da sustentação de uma carreira são os valores do indivíduo e sua família. Observe o que acontece com a carreira de um executivo quando ele está passando por uma separação litigiosa.

Apesar disso, muita gente ainda acredita que pode alcançar o sucesso e a felicidade esquecendo-se da família. Há também aqueles que falam da importância da família, mas sua presença é rara e a realidade é bem diferente: eles nunca estão presentes nos jogos dos filhos, não conversam com a orientadora educacional da escola, nunca têm tempo para jantar fora com o cônjuge. Ou, pior, estão sempre cansados quando chegam em casa, deixando uma lacuna afetiva na vida dos filhos, que causará traumas e deixará marcas para toda a vida.

Agora, vou fazer algumas perguntas reflexivas que exigirão usar a imaginação, para que você compreenda melhor que tudo o que falei até aqui sobre família faz total sentido.

Imagine que a sua casa é uma empresa. Que nota você daria a um funcionário como você?

Será que você não seria demitido da sua empresa se sempre chegasse atrasado?

Se prometesse e não cumprisse?

Se quisesse ter sempre razão nas discussões?

Competência, planejamento, determinação, espírito de equipe e amor são qualidades essenciais para ser dono do futuro.

Sentir-se parte de um grupo é importante, porque as pessoas que estão ali são importantes e porque você também é importante. Sabe o que acontece quando você não acredita na sua própria relevância? Acaba não conseguindo se conectar com os outros.

Quero compartilhar uma história que ilustra bem esse ponto.

Eu era um cara bem tímido quando ganhei um prêmio de uma revista de RH. Sempre fugia desses eventos, mas liguei para um amigo e pedi ajuda: "Paulo, nunca fui a esse tipo de evento, morro de medo, não sei o que fazer". Então, ele me buscou em casa, me levou para a festa e ficou lá comigo. Meu diálogo interno, naquele momento, me dizia que eu seria rejeitado, que eu era inferior, mas o que aconteceu foi o oposto: eu vi que tinha um monte de gente que gostava de mim, me admirava, queria fazer parcerias.

Se você, como eu, já se sentiu isolado ou deslocado socialmente, preste bastante atenção aos próximos passos. Neles, vou explorar as causas do problema, identificar como você se relaciona com ele e, o mais importante, fornecer uma solução eficaz que o ajudará a estabelecer conexões significativas. Apresentarei um método comprovado que o guiará nesta jornada de conexão e, por fim, o motivará a implementar essas estratégias em sua vida.

Por que temos dificuldades em nos conectar?

Falta de habilidades sociais, medo da rejeição, falta de confiança em si mesmo e falta de oportunidades para conhecer novas pessoas são algumas das causas. Compreendê-las é o primeiro passo em direção à saída.

## MERGULHE NAS ATIVIDADES DO GRUPO

Não é a solidão que é uma maldição na sua vida, mas o vício de se isolar. Descubra quem você é, seus valores e interesses. Seja autêntico e verdadeiro com si mesmo, permitindo que os outros o conheçam genuinamente.

Todos nós temos um repertório, uma história de vida, com muitas experiências pelas quais já passamos. Então, o verdadeiro dificultador da nossa participação ativa em grupos raramente é a falta de conteúdo – mas, sim, muitas vezes, o fato de acharmos que não somos bons o suficiente.

Mulheres olham para outras mulheres como se não fossem bonitas o bastante, bem-sucedidas o bastante, amadas o bastante – e se sentem diminuídas. E solitárias.

Homens olham para outros homens como se não ganhassem o bastante, não ocupassem um cargo alto o bastante, não tivessem uma ou mais pessoas bonitas o bastante ao seu lado – e se sentem diminuídos. E solitários. No entanto, a verdadeira conexão com o grupo não está em se provar nem em se comparar, mas em ser quem você é e se interessar pelo outro como ele é.

A galera do escritório foi relaxar em um karaokê e você acha que não canta nada? Divirta-se, apenas. Revele-se um péssimo cantor se for o caso, ria junto com todos e ainda arremate: "Eu avisei, não foi?". Todo mundo admira (e se conecta com) alguém que tem coragem de demonstrar sua vulnerabilidade.

COMPETÊNCIA, PLANEJAMENTO, DETERMINAÇÃO, ESPÍRITO DE EQUIPE E AMOR SÃO QUALIDADES ESSENCIAIS PARA SER DONO DO FUTURO.

Aprenda habilidades de comunicação eficazes, como ouvir ativamente, fazer perguntas significativas, demonstrar empatia e participar. Essas habilidades facilitarão a interação e a criação de laços com outras pessoas.

Agora, quero conversar com você sobre a importância das habilidades sociais e como aprimorar as suas: vamos começar formando tribos com nosso DNA afetivo.

Explore diferentes oportunidades de conhecer gente nova. Participe de eventos, grupos de interesse pessoal, profissional e comunidades on-line. Amplie seus círculos sociais e esteja aberto a novas amizades e conexões.

Mas atenção: certifique-se de que as suas interações despertem em você harmonia e alegria e sejam compatíveis com seus valores e princípios, para poder usufruir do sentimento de pertencimento e fortalecê-lo ainda mais.

Faça a manutenção dos relacionamentos. Cultive e nutra as relações que você constrói. Invista tempo e esforço em conexões significativas, demonstrando interesse verdadeiro e apoio às pessoas que fazem parte da sua vida.

Esteja aberto à diversidade e disposto a aprender com pessoas com diferentes origens e perspectivas. Seja proativo ao se apresentar e iniciar conversas, mostrando interesse pelas pessoas ao seu redor.

Bem, o próximo passo seria melhorar as nossas habilidades sociais.

*Nossa, Roberto, isso não é tão simples!*

É, sim. Basta encarar isso de maneira prática. Habilidade social não é essa coisa romantizada de chegar a uma festa e ser o centro das atenções (essas pessoas geralmente já conhecem o grupo ou são famosas por alguma razão, ou têm poder, dinheiro ou influência). Habilidade social nada mais é do que conseguir se relacionar, e isso é o que você vem aprendendo até agora!

Relembrando:

- Aprenda a arte da escuta ativa, prestando atenção genuína às pessoas com quem você interage.
- Faça perguntas significativas e mostre real interesse nas histórias e experiências dos outros.
- Desenvolva empatia, colocando-se no lugar dos outros e compreendendo suas emoções e perspectivas.

Repita, repita, repita.
Seguimos? Agora invista na manutenção dos seus relacionamentos. Por exemplo:

- Demonstre gratidão e apreço pelas pessoas importantes em sua vida. Expresse seu afeto e reconheça os esforços delas.
- Esteja presente e disponível para os outros, oferecendo apoio emocional e prático quando necessário.
- Invista tempo e energia em manter os relacionamentos, agendando encontros regulares e mantendo a comunicação aberta.

Tenha em mente que conexão humana é uma jornada, não um destino. Este livro é um convite para embarcar nessa jornada de redescoberta, para se conectar mais profundamente com si mesmo, com os outros, com suas comunidades. Dando a devida atenção a esses três pilares da conexão humana, você poderá experimentar um sentimento pleno de pertencimento, felicidade e realização. Não importa onde você esteja em sua jornada, lembre-se: você nunca está sozinho.

CINCO

# CRIE TIMES IMBATÍVEIS EM SUA VIDA

A criação de times imbatíveis é de extrema importância para o sucesso de qualquer organização. Esses times são compostos por indivíduos altamente talentosos, motivados e comprometidos, dotados de alto QA e capazes de alcançar resultados excepcionais e superar desafios.

Uma equipe imbatível traz diversos benefícios para a organização. Em primeiro lugar, a diversidade de habilidades e de experiências dos membros do time possibilita a geração de ideias inovadoras e soluções criativas para os problemas enfrentados. Cada membro contribui com suas perspectivas únicas, permitindo uma abordagem mais abrangente e eficaz na resolução de questões complexas.

Além disso, uma equipe imbatível possui uma comunicação eficiente e um alto nível de colaboração. A confiança entre os membros é fundamental para o compartilhamento de conhecimentos e a construção de relacionamentos sólidos. A cooperação entre eles leva a uma sinergia que potencializa o desempenho coletivo e aumenta a produtividade.

Outro aspecto relevante é a motivação que um time imbatível proporciona. Quando os colaboradores trabalham em conjunto com colegas talentosos e comprometidos, sentem-se inspirados a dar o melhor de si. A competição saudável dentro da equipe impulsiona o crescimento individual e coletivo, estimulando a busca por constantes melhorias.

Outro ponto que merece destaque é que um time imbatível cria um ambiente de trabalho positivo e estimulante.

A energia e o entusiasmo compartilhados entre os membros são contagiantes e contribuem para um clima organizacional favorável. Isso atrai talentos e retém os melhores profissionais, fortalecendo a imagem da empresa e aumentando sua capacidade de enfrentar os desafios do mercado.

Por fim, um time imbatível traz resultados excepcionais para a organização. A combinação de talento, cooperação, motivação e inovação leva ao alcance de metas ambiciosas e à superação de expectativas. O sucesso dessas equipes impacta diretamente o desempenho e o crescimento da organização como um todo.

Em suma, criar times imbatíveis é crucial para qualquer organização que busca se destacar em um mercado competitivo. Essas equipes trazem benefícios significativos, como inovação, colaboração, motivação e resultados excepcionais. Investir na formação e no desenvolvimento desses times é um passo fundamental para o sucesso a longo prazo.

Times imbatíveis são criados por pessoas capazes de terem conexão em todos os níveis.

O mestre indiano Osho afirmava que o ser humano é como a água do mar, que é salgada em todos os lugares... Quem não consegue criar vínculos na empresa raramente vai conseguir criar vínculos na própria família.

Profissionais sem vínculos profissionais, quando estão em casa, são pais com dificuldade em estar com os filhos de modo integrado e participativo. Ainda não se deram conta de que participar da vida familiar e da equipe de trabalho é uma maneira única e poderosa de crescimento pessoal.

Durante meu treinamento de psiquiatria, um dos casos mais lindos de recuperação a que assisti foi a terapia de um jovem com um quadro de esquizofrenia. O pai achava que a solução do problema do filho era a internação e encarava os convites para participar de uma terapia familiar como prejudiciais ao seu trabalho. Afinal, ele era um homem ocupado, não podia perder tempo com aquilo...

Aos poucos, porém, começou a se envolver na vida do filho. O garoto tinha apenas uma conexão com o mundo real: o futebol. Então, pai e filho passaram a assistir a jogos todos os domingos. O diálogo entre eles começou a voltar. Depois, o garoto conseguiu se comunicar também com a mãe e com a irmã. Foi evoluindo, acabou retomando os estudos. O pai voltou a ter prazer em estar com o filho. Ao final de meses de terapia familiar, pai e mãe já não brigavam por causa do filho, e a família toda saía para almoçar antes do futebol.

Um dia, o garoto teve um princípio de crise agressiva, como nos velhos tempos da doença: pegou um ventilador para arremessá-lo contra a parede. O pai, que sempre fora omisso, gritou: "Você não tem direito de fazer isso, você pode pedir ajuda, eu estou aqui". O rapaz parou, pensou, colocou o ventilador em cima do armário e saiu para caminhar, com o olhar transtornado. Estavam todos preocupados com essa regressão. Horas depois, ele voltou e pediu desculpas pelo que havia feito. Agradeceu o apoio e a compreensão do pai e logo lhe deu um abraço afetuoso.

O rapaz evoluiu muito, e a família também amadureceu, até que a terapia chegou ao fim e todos saíram abraçados, conversando sobre a vitória que haviam conquistado. Nesse dia, o rapaz concluiu: "Sabe o que me deixa mais feliz? É que, agora, nós somos um time. Um time imbatível".

São os times que criam as vitórias importantes em nossa vida. Sucesso e felicidade são os maiores e melhores prêmios de quem consegue criar times imbatíveis.

Para que você consiga criar equipes imbatíveis, em todas as áreas da sua vida, precisa aprender habilidades fundamentais, além de conhecer os diferentes tipos de times. Assim, vai poder identificar qual deles terá mais sucesso e chegará mais longe.

O oposto de trabalhar em time é o que faz, por exemplo, o profissional individualista – graças a Deus, uma espécie em extinção. Durante muitos séculos, as pessoas de sucesso foram aquelas que procuraram soluções individuais. "Cada um por si e Deus por todos" era o lema delas, fórmula incapaz de criar vitórias hoje. Estamos descobrindo a duras penas que essa filosofia não dá mais certo.

*Mas, Roberto, por que você diz que o individualismo está fora de moda?*

É sobre isso que vamos conversar nos tópicos a seguir.

## OS CAMPEÕES NÃO QUEREM TRABALHAR PARA ALGUÉM QUE OS SUGA E DEPOIS OS DESCARTA

O modelo do capitalismo selvagem é muito ingrato com as pessoas, e os profissionais competentes fogem dele. Chefes que só pensam em maximizar lucros lembram aqueles sitiantes do interior que abandonavam burros e cavalos na beira da estrada quando eles ficavam velhos e não tinham mais força para puxar a carroça ou o arado.

Esse modelo, no qual todos se matam para que apenas um usufrua, não tem graça e não motiva as pessoas competentes. Os campeões não estão dispostos a integrar os quadros de uma empresa em que só os chefes sentem prazer e se realizam.

Na corte francesa, havia um ritual em que alguns cortesãos eram escolhidos para ver o rei comer. Olhavam sua majestade saborear os manjares e consideravam uma grande honra ser espectadores.

Hoje, ninguém mais se contenta em ser espectador dos manjares de sua majestade. Todo mundo quer saborear o próprio pedaço também. Pessoas competentes desejam trabalhar em organizações que lhes deem retorno pela dedicação.

Nos relacionamentos afetivos, o fenômeno se repete: o casal tem de estar no mesmo barco. Um casamento é saudável quando os dois são verdadeiramente companheiros. Não tem graça, por exemplo, a esposa trabalhar como um trator e o marido ficar desocupado, comprar roupas bonitas e ficar passeando. Nem o antigo esquema em que o marido trabalhava doze horas por dia, e a esposa passava a tarde no cabeleireiro ou fazendo compras.

Esse modelo não se sustenta mais. No final, geralmente a pessoa que se sente explorada acaba se cansando e partindo para outro relacionamento.

# A EMPRESA PRECISA DA UNIÃO DE TODOS PARA REALIZAR SUAS METAS

> "Atrás de um homem competente, há sempre outros homens competentes." – Provérbio chinês

Os jogos de poder consomem a energia que deveria ser utilizada para atingir as metas do grupo. As empresas têm de enfrentar uma concorrência tão grande no mercado que não é mais possível perder tempo com a competição interna.

Fofocas, jogos de bastidores, politicagem na empresa, culto ao ego do chefe, sonegação de informações, sabotagem de projetos alheios destroem a força do grupo.

Muitos profissionais gastam tanto tempo mantendo ou conquistando mais poder que não lhes sobra energia para realizar o planejamento estratégico da organização. Essa drenagem de energia afeta a equipe e enferruja a competitividade dela. Gerentes preocupados com o tamanho da própria sala são tão infantis quanto o garoto que se compara com outro para ver quem tem o melhor brinquedo. Líderes conscientes são aqueles que cuidam do time para que todos atinjam os objetivos, sem se importar em colher a fama pelo sucesso.

Quando cada um rema para um lado, o barco não sai do lugar.

A melhor maneira de pensar no sucesso pessoal é se integrar aos esforços do grupo, pois uma equipe competente produz vitórias e alavanca a carreira de todos os membros.

## A LEALDADE À EMPRESA ESTÁ VOLTANDO A SER VALORIZADA HOJE EM DIA

Até pouco tempo atrás, as empresas não contratavam profissionais que haviam trabalhado dez ou quinze anos no mesmo lugar. A moda era valorizar a pessoa que trocava de emprego todo ano, vivia procurando novos desafios e os maximizava. Esses executivos tinham milhões de virtudes, acumulavam conhecimentos tecnológicos e muita informação, mas faltava-lhes um toque especial: o compromisso com a equipe e a lealdade à empresa.

A moda de valorizar profissionais que estão sempre mudando de emprego se mostrou pouco produtiva. É como o casamento. É lógico que, se a escolha não tiver sido bem-feita ou os caminhos dos dois se diferenciarem demais, o casal deve se separar e procurar ser feliz, mas, se ambos encontraram a pessoa com quem quer dividir sua vida, não existe relação mais plena. Os dois vão crescer juntos, investir em projetos comuns e sentir-se realizados de mãos dadas.

Na carreira, é a mesma coisa: o melhor de tudo é encontrar uma empresa onde somos valorizados, estimulados a crescer e, em contrapartida, temos o prazer de dar o máximo para vê-la progredir.

## O MUNDO ATUAL EXIGE A CAPACIDADE DE CRIAR PARCERIAS

Todos os dias, empresas se unem em busca de parceria. Companhias grandes compram negócios menores ou deficitários e os incorporam ao patrimônio delas. E, cada vez mais, vemos o fenômeno inverso: empresas menores que compram grandes companhias deficitárias.

O mundo nunca assistiu a tantas e tão grandes fusões e aquisições: na área de comunicação, as incorporações são frequentes; gigantes da indústria farmacêutica se juntam; surgem os megabancos.

Vemos concorrentes envolverem-se em projetos comuns que antes eram inconcebíveis. A Renault e a Volvo associaram-se para fabricar motores, a Sony e a Philips uniram-se para desenvolver pesquisas de interesse comum. As grandes empresas perceberam que é muito mais interessante investir juntas no desenvolvimento de tecnologias e utilizar essas descobertas para criar os próprios produtos.

Será que essas fusões vão dar certo? O futurólogo americano Alvin Toffler não tem dúvida ao afirmar: "Dentro de poucos anos, vamos assistir ao desmanche de muitas dessas fusões". Sem profissionais com capacidade de criar e trabalhar em equipe, esse movimento resultará em grandes prejuízos.

QUEM NÃO SOUBER CRIAR PARCERIAS VAI VIVER EM PERMANENTE SOLIDÃO.

No papel, até que essas uniões têm tudo para funcionar. Os administradores financeiros exultam com a possibilidade de redução de custos e elevação de lucro, os diretores de marketing deliram com o aumento da fatia de mercado. Mas a dura realidade é enfrentada pelos gerentes de recursos humanos. Por quê? Porque, para eles, fica a dura batalha de integrar os dois times.

Jogos de poder, sonegação de informação, ciúme, ressentimento e medo das mudanças destroem projetos que eram maravilhosos nas planilhas dos computadores, mas nunca vão ocorrer na prática porque não conseguem envolver as pessoas. Quando essas pessoas se unem para um projeto comum, mas as equipes não se integram, cada uma tenta sabotar o trabalho da outra. Os gerentes querem provar que sabem mais, que a equipe da outra empresa não conhece o negócio, e a união de verdade não se verifica.

São investimentos monumentais que podem dar em nada. Ou, pior, gerar grandes prejuízos se não houver cooperação entre os times, se predominar a ideia de que cada um tem seus próprios interesses e enxerga o outro como inimigo. Todos nós acompanhamos a tentativa de fusão de duas gigantes do setor de equipamentos agrícolas, uma americana e outra europeia. Foram meses de tratativas, negociações difíceis e desconfiança. Cada lado achava que o outro ia fazer bobagem. Até as festas de confraternização para aproximar o pessoal terminavam com grupos divididos. Muita energia e muito dinheiro foram gastos inutilmente.

Tudo na vida de uma organização de sucesso depende de cooperação entre as pessoas: parcerias com clientes e fornecedores, trabalho conjunto entre áreas diferentes, colaboração entre as filiais dos diversos continentes, troca de informações e ideias entre diretores de diferentes divisões, motivação do time para buscar resultados.

No amor é igual: quem não souber criar parcerias vai viver em permanente solidão. Pode até arrumar novos namorados, mas eles não vão ficar no relacionamento se não se perceberem em uma relação na qual os dois constroem juntos.

No casamento, cuidar da casa é tarefa a ser dividida pelos dois. Ambos devem saber que o desafio de educar os filhos precisa ser compartilhado. Morar sob o mesmo teto não é garantia de formar uma família feliz.

## SOZINHOS NÃO VAMOS CONSEGUIR VENCER A ATUAL COMPETIÇÃO

São muitos detalhes, muitos compromissos, muitos projetos simultâneos. Parece que está sempre faltando fazer alguma coisa. As tarefas têm de ser realizadas ao mesmo tempo. Deixar para fazer o 2 depois do 1 e o 3 após o 2 pode ser fatal. O 1, o 2, o 3 e o 4 têm de ser realizados simultaneamente, em velocidade compatível com a rapidez de nossos desafios.

Há quem faça dessa maneira, mas só sabe trabalhar sozinho. O preço é muito alto: exaustão total, até chegar ao ponto em que o trabalho começa a perder qualidade – e a pessoa pode, inclusive, ser acometida por DABA. São muitas informações novas chegando ao mesmo tempo. Muitas transformações, muita evolução para uma única pessoa processar. A tendência do individualista é valorizar apenas aquilo que consegue processar. O que não pode avaliar, ele despreza.

Uma análise equivocada pode ser catastrófica para a empresa. Nem mesmo Bill Gates, o maior símbolo de competência empresarial, deu importância à internet, pondo em risco o futuro da Microsoft, e só conseguiu reverter o prejuízo porque rapidamente criou o Explorer. Contudo, já fora dada a oportunidade para o surgimento do Netscape. Imagine, então, o que pode acontecer com um empresário que não tem uma equipe dessa qualidade.

É preciso estar com os olhos abertos para os outros e, consequentemente, para o mundo. Não é possível mais viver no isolamento. Todo mundo conhece a história de Maria Antonieta. Quando lhe contaram que os parisienses passavam fome porque não tinham pão, ela teria dito: "Se não têm pão, que comam brioches". Isolada no luxo do Palácio de Versalhes, supunha que a vida lá fora fosse igual à sua. Acabou decapitada.

A história e a vida mostram a todo momento que o modelo individualista está falido. Quem, como uma Maria Antonieta moderna, ainda não aprendeu a perceber o outro está correndo o risco de ser decapitado na carreira, na vida e no amor.

Isso acontece também na criação dos filhos. Em geral, um adolescente não começa a fazer uso contínuo de drogas do dia para a noite. O processo leva alguns anos, mas os pais, fechados em seu próprio mundo, não conseguiram perceber a solidão do filho. Cada um estava tão envolvido no próprio projeto que não se deu conta do que estava acontecendo na vida do filho.

No casamento, é a mesma coisa: uma separação não toma forma de um dia para outro. É resultado de tempos de distanciamento e falta de comunicação, até que um dos dois sai de casa. Não importa quem partiu. Quem foi abandonado quase sempre se sente traído, mas a separação é fruto do distanciamento que ambos criaram dia após dia.

É fundamental respeitar os seus valores, a sua vocação. Isso se chama individualidade. Não deixe de ser você para agradar os outros. Mas pensar somente em você não tem mais sentido em um mundo que precisa da cooperação de todos.

**Individualidade sim, individualismo não.**

## DESENVOLVENDO A LEITURA INSTANTÂNEA: DESCUBRA O QUE ESTÁ ACONTECENDO COM UM GRUPO DE PESSOAS

Se a meta é estar conectado da melhor maneira a todos os seus grupos, eu lhe pergunto: e se você pudesse estabelecer conexões com eles mais facilmente?

Em nossos relacionamentos diários, entender rápido o que está acontecendo com um grupo de pessoas pode ser o primeiro passo – desafiador, mas muito compensador. Isso permite que nos posicionemos corretamente diante daquele grupo e nos conectemos a ele. O maior obstáculo para chegar lá é quando nos sentimos desconectados e perdidos em meio a tantas informações e dinâmicas sociais. E foi esse ponto que me levou a criar uma abordagem para desenvolver a leitura instantânea, permitindo que você identifique, compreenda e acompanhe o que está acontecendo em tempo real.

Essa abordagem é fundamentada e comprovada a partir de estudos, experiências pessoais e profissionais que foram transformadores tanto para mim quanto para as pessoas impactadas positivamente por ela.

A dificuldade enfrentada por muitos de nós é interpretar e compreender de modo adequado as interações e dinâmicas de um grupo. Essa complicação pode levar a sentimentos de isolamento, falta de envolvimento e até mesmo a erros de interpretação das situações.

Desde profissionais que participam de reuniões e grupos de trabalho até indivíduos que desejam se relacionar melhor em contextos sociais, muita gente se identifica com a questão.

A causa principal dessa dificuldade reside na falta de atenção plena e na superficialidade das nossas interações. Muitas vezes, estamos mais focados em nossos próprios pensamentos e preocupações do que em realmente observar e absorver o que está acontecendo ao nosso redor. A falta de presença e a distração constante impedem uma compreensão precisa do que está acontecendo em um grupo.

Mas tem jeito, sim. Preparado? Aqui vai a solução, em quatro atitudes fundamentais, para desenvolver a sua leitura instantânea de qualquer grupo – e que também vai ajudar você na ampliação da sua Inteligência Afetiva.

> "O que você faz hoje pode melhorar todos os seus amanhãs." – Ralph Marston

1. **Observação atenta.** Essa atitude requer uma mudança de postura, passar de espectador passivo para observador atento das pessoas e das interações de um grupo. Dedique tempo a prestar atenção aos detalhes, como gestos, expressões faciais e linguagem corporal, durante reuniões, eventos sociais e até em situações cotidianas. Essa observação recorrente permite captar informações valiosas que ajudam a compreender o contexto e o clima do grupo – e, assim, interagir no mesmo compasso, fazendo parte desse coletivo. Quando você se torna um observador atento, consegue antecipar algumas situações, tanto boas quanto ruins, a ponto de conseguir melhorar o que já está bom e, se necessário, evitar algo ruim – por exemplo, um conflito que só estava visível nas entrelinhas da linguagem corporal.

2. **Escuta profunda.** A escuta profunda é uma habilidade que nos conecta ao outro, essencial para compreender o que está acontecendo em um grupo. Significa ir além das palavras superficiais e realmente se conectar com as emoções e intenções expressas nas entrelinhas. Dedicar-se a ouvir com empatia e interesse genuíno permite uma compreensão mais rica das dinâmicas presentes. E permite a você participar de verdade e agregar com sua contribuição. Resultado? Você passa a fazer parte.

Esteja presente e demonstre interesse genuíno pelo que os outros estão comunicando. Um sinal de que alguém desenvolveu a escuta afetiva é quando ele se torna um ímã de pessoas, que se sentem atraídas por ele e com vontade de trocar ideias. Outro exemplo é quando essa pessoa chega aos lugares: ela logo é notada, pois já desenvolveu uma presença marcante e agradável a ponto de ser lembrada com carinho.

3. **Conhecimento contextual.** Compreender o contexto no qual o grupo está inserido é crucial para interpretar de modo adequado as interações. Buscar informações sobre a cultura, a estrutura hierárquica e os objetivos do grupo ajuda a situar aquelas pessoas e facilita a leitura instantânea.

Pois, ao interpretar as dinâmicas do grupo a partir das competências e habilidades dele, voltadas especialmente para as necessidades daquelas pessoas, com certeza você irá surpreendê-las com suas ideias e contribuições assertivas e necessárias, alcançando, assim, um alto nível de confiança de todos.

Quando você compreende o contexto do grupo de que faz parte, começa a desenvolver a habilidade de se relacionar de maneira saudável. É a partir daí que nasce a sensação de pertencimento, de se sentir importante. Quando você está presente nesse meio social, surgem, quase que instantaneamente, sentimentos de alegria e bem-estar, que são compartilhados e sentidos pelo grupo também. Esses sentimentos vão ao encontro do que chamamos de "a verdadeira felicidade".

4. **Intuição e sensibilidade.** A intuição e a sensibilidade são habilidades poderosas, que nos permitem captar nuances e sutilezas nas interações sociais. Desenvolver a confiança em nossa intuição e sintonizar nossos sentidos nos ajudam a perceber padrões e entender o que está acontecendo em um grupo, mesmo que não seja explicitamente dito.

Essas sutilezas só são vistas e percebidas se estivermos presentes de corpo e alma, atentos ao ambiente. São como um vestido de seda: se já conhecemos o tecido, sabemos que é lindo, macio, mas muito delicado e que, dependendo de como for usado ou tocado, pode se danificar com facilidade. É assim também com nossas interações sociais, quando aprendemos a empregar a intuição e a sensibilidade no nosso cotidiano.

Sua intuição é uma grande aliada, mas, para que você consiga utilizá-la, ela precisa estar forte e confiável. Ou seja, é necessário que você tenha algum conhecimento prévio bem desenvolvido, já tenha estudado o tema e conte com experiência no assunto. Por exemplo, se o médico não tiver conhecimento e vivência sobre os temas de saúde, sua intuição não vai funcionar.

Para que você compreenda ainda melhor, vou trazer aqui o exemplo do GPS. Imagine que sua intuição é o GPS. Sabendo que, em alguns lugares, sua conexão com a internet poderá estar forte e, em outros, fraca ou até inexistente, por um período que seja, você já não terá o resultado esperado. Outra coisa que acontece com o uso do GPS e que podemos comparar à nossa intuição é que, se você escolher um destino ainda desconhecido para a tecnologia do equipamento, pode acabar se perdendo ou não conseguir chegar.

O mesmo se dá com nossa intuição. E é por isso que a sensibilidade, como você já viu aqui, também precisa continuar sendo aperfeiçoada. Sabemos que haverá interferências, como os momentos de conflito, sobrecarga de trabalho, traumas ou situações novas, que nos desafiarão e, por isso, precisaremos de pausas, novos aprendizados e novas práticas. Esse é o jeito de ter uma intuição efetiva durante toda a vida.

Para desenvolver a leitura instantânea, é importante praticar com consistência os quatro fundamentos citados. Se você ainda não se convenceu da importância dessa prática, aqui vai um último e imbatível argumento: ela é uma habilidade valiosa, capaz de proporcionar uma vantagem significativa no ambiente de trabalho, nas relações sociais e em qualquer situação em que seja necessário compreender o que está acontecendo ao seu redor.

Lembre-se de que a leitura instantânea é uma capacidade que pode ser desenvolvida com prática e dedicação. Ao aplicar os quatro pilares que conheceu aqui, você estará no caminho para se tornar um observador perspicaz e um participante ativo em qualquer grupo. Portanto, comece agora: motive-se a implementar esse método em sua vida e desfrute dos benefícios de uma compreensão instantânea e mais profunda das interações sociais.

# OS TIMES INVISÍVEIS

Vitórias e derrotas são construídas de acordo com nossa capacidade de fazer funcionar os times que existem em nossa vida.

Abra a sua agenda e analise seus compromissos. Comece pensando na relação com a sua assistente: você já se deu conta de que os dois formam um time? Que tipo de time vocês são? Um time unido ou duas pessoas que fazem o que é preciso sem se comunicar, cada uma esperando que a outra esteja fazendo o que deve?

Pense agora na relação com seus filhos. Você está no trabalho e recebe um telefonema da sua filha, que pede orientação sobre a lição de casa ou, pior, você sabe que ela não está estudando para um exame decisivo no dia seguinte. Ensinar responsabilidades por telefone é complicado. Não teria sido melhor que o diálogo tivesse ocorrido antes? Mas você reservou algum tempo em casa para que isso acontecesse? Você e seus filhos vivem como um time? Ou simplesmente moram na mesma casa?

E o dentista que não entende que você não pode ficar com a restauração quebrada até a próxima semana? Ele também não aprendeu que vocês jogam no mesmo time. Ainda não sabe que precisa deixar você satisfeito para ajudá-lo a conseguir mais clientes. Sem clientes felizes, ele irá à falência.

Você chega à reunião com seu pessoal e todos o olham com cara de quem diz: "Favor falar logo que eu tenho mais o que fazer". Provavelmente, seu time não está entendendo que vocês precisam formar uma equipe afinada para realizar as metas programadas.

Sua ex-mulher telefona pedindo dinheiro para o conserto do carro. Você fica irritado e pensa: *Será que ela não percebeu ainda que estamos separados há dez anos e eu não tenho nada a ver com o problema do carro dela?* Mas o ponto é que você tem a ver com isso. Porque ela usa o carro para levar seus filhos à escola, à aula de inglês, à natação. E você e seus filhos são um time para o resto da vida, mesmo que você esteja separado da mãe deles há dez anos. Ex-mulheres existem, mas ex-filhos, não. Criar um time imbatível com o ex-cônjuge é fundamental para realizar um dos sonhos mais caros: ajudar os filhos a se tornarem adultos felizes.

Nossa vida é constituída de equipes de todos os tipos, com pessoas que frequentemente não fazem o que achamos que deveriam fazer. Muitas vezes, somos nós que não entendemos o que é preciso fazer. Outras, nem percebemos que devíamos formar uma equipe com aqueles indivíduos. Os times invisíveis da nossa vida são a base das nossas conquistas, mas a maioria de nós pensa que é pura perda de tempo cuidar deles.

Será que você está trabalhando para tornar a sua família um time imbatível? Há quanto tempo não tem uma reunião com sua equipe de casa para que todos falem de suas necessidades e seus sonhos? Reunir toda a família e trocar ideias eram hábitos comuns antes da era da televisão. Hoje estão abandonados. E não me venha com essa história de não ter tempo. É só desligar a televisão durante seu programa favorito e chamar todo mundo para conversar (não para escutar seus sermões!). Ah! Aproveite e desligue o celular também! No começo, vai ter um monte de reclamação e cobrança. Talvez alguns achem pura perda de tempo. Mas, depois, todos vão entender as regras de funcionamento desse grupo, e a vida ficará mais fácil.

Outra equipe fundamental é o casal. Alguns casais vivem como se fossem adversários em uma partida de tênis: jogam a bola longe para ficar bem difícil para o outro pegar, complicam o jogo, veem o cônjuge como um obstáculo a ser superado.

OS TIMES INVISÍVEIS DA NOSSA VIDA SÃO A BASE DE NOSSAS CONQUISTAS, MAS A MAIORIA DE NÓS PENSA QUE É PURA PERDA DE TEMPO CUIDAR DELES.

Outros vivem como uma dupla de frescobol: jogam a bola pertinho, facilitam o jogo, veem o parceiro como cúmplice. E você, facilita a vida de seu companheiro, como no frescobol, ou o vê como um adversário em uma partida de tênis?

Na empresa, os outros gerentes e você fazem parte do mesmo time? Será que vocês têm uma atitude colaborativa entre si ou competem como se cada um fosse o capitão do time adversário? Vivem sonegando informações, sabotando o projeto das outras áreas, criando boatos, vingando-se dos deslizes dos colegas em vez de passar as situações a limpo?

Talvez neste momento você esteja pensando: *Roberto, seria ótimo se o gerente de marketing lesse este livro!* Adoraria que você o desse de presente a ele, mas será que ele vai receber esse presente de um amigo ou de um concorrente?

Melhor é parar e analisar o que você está fazendo para criar um time com as pessoas da sua vida. Como você poderia estimular uma cultura de cooperação em sua vida afetiva, familiar e profissional?

Pense comigo.

Há quanto tempo você não elogia um colega em uma reunião de gerência ou o seu filho durante um jantar em família?

Há quanto tempo você não visita outra área da empresa simplesmente para conversar e oferecer ajuda?

Então pare de perder tempo com coisas que não são prioridade e estabeleça uma união com as pessoas importantes para você. Eu garanto: isso vai simplificar muito a sua vida, pois elas entenderão que você está do lado delas.

É muito complicado e desgastante quando cada vitória é fruto de uma batalha, não é verdade?

Para complementar essas reflexões tão significativas, quero deixar para você a frase de um exemplo de homem que tinha grande poder de conexão. Ele não era um filósofo, mas tinha grande sabedoria e dizia para mim: "Beto, nunca perca a chance de ser bom para as pessoas". E eu nunca esqueci esse ensinamento, aparentemente tão simples, mas ao mesmo tempo tão poderoso e transformador em minha vida. Esse homem sábio foi quem, junto com minha mãe, me educou, cuidou de mim e me ensinou a ser quem eu sou, e tenho orgulho de dizer que é meu pai. Desde então, venho praticando e compartilhando esse ensinamento tão valioso com as pessoas, em todas as áreas da minha vida, ao redor do mundo.

Tem pessoas que se adaptam ao mundo, tem pessoas que transformam o mundo.

Quem você vai querer ser?

## SEIS

# O SUPERPODER DO AFETO

Por que a maioria das pessoas não consegue evoluir nos seus relacionamentos? Porque não entende a dinâmica de ajudar o outro a se sentir importante.

Durante minha formação como psicoterapeuta, Cecilio Kerman, um psiquiatra argentino com quem eu estudava, me disse: "Roberto, quando você estiver com dificuldade de entender por que uma pessoa está agindo destrutivamente, procure analisá-la sob a perspectiva da dinâmica de querer se sentir importante. Pense sempre em compreender o seu padrão de busca de afeto, ou seja, procure entender a sua dinâmica de estímulos afetivos".

É sobre isso que nós vamos falar neste capítulo. Começando por uma boa história:

Houve uma vez um rei que queria saber qual linguagem seria falada pelos seres humanos se não fossem influenciados pela linguagem dos outros.

Então, separou um grupo de recém-nascidos e confinou-os em um lugar onde tivessem os cuidados necessários à sobrevivência, mas não tivessem contato com as outras pessoas.

Sabe o que aconteceu com essas crianças? Morreram. Morreram por falta de estímulos. Ou por falta de afeto.

Chocante, não? Então, prepare-se para outras descobertas até mais assombrosas do que essa, pois a verdade é que todos nós temos muito o que aprender sobre afeto.

Para começar, o que você talvez ainda não tenha se dado conta é de que o afeto é a unidade do reconhecimento humano. As pessoas demonstram que se reconhecem, que se importam umas com as outras por meio da troca do afeto.

Então, ponha sua atenção aqui: estímulos afetivos são vitais. São necessários à vida.

Por isso digo que é superimportante tomar consciência de onde suas relações estão neste momento da sua vida. Aquilo que você tem recebido das pessoas é fruto de como você as têm tratado ou deixado de tratar.

Agora venha comigo neste raciocínio. Pare um instante para pensar e garanto que se lembrará da sensação incômoda de um dia chegar ao trabalho e um colega querido mal olhar na sua cara. Por que isso magoa? Pela falta de um sinal como um simples "Bom dia, como você está?" ou até um pequeno gesto, como um sorriso, um aceno de mão, que demonstre alegria com a sua chegada. Esse mal-estar vai diminuir mesmo que o único estímulo seja a pessoa reclamar que você está atrasado, pois dessa maneira entenderá que fez falta e que sua ausência foi percebida.

Fato: todos nós precisamos nos sentir reconhecidos. Por isso, dizemos que um beijo é melhor do que uma briga, mas uma briga é melhor do que a indiferença.

O carinho é vital.

A indiferença é mortal.

Quando uma pessoa se sente ignorada, é capaz até de fazer bobagem para receber atenção. Mesmo que vá contra o que realmente deseja. Por exemplo, talvez, neste momento, você não coloque a carga máxima de energia em um projeto porque não se sente importante para a empresa. A razão parece estranha? Concordo, mas uma série de pesquisas mostra que é assim que os animais (não apenas os humanos) reagem.

Embora esses estudos sejam antigos e façam uso de crueldade animal, coisa que eu absolutamente condeno, serviram para demonstrar um tipo de comportamento padrão.

Veja, é muito importante para mim deixar claro que sou completamente contra a exploração de qualquer ser vivo e entendo que se faz necessária muita reparação pelo modo como nós, humanos, temos tratado os animais. Entretanto, gostaria de trazer dois estudos com animais, dos tempos em que o mundo, ou pelo menos a maioria das pessoas, ainda não havia acordado para o que é correto, e se realizavam testes com eles.

## ME DÊ UM AFAGO...

O pesquisador Harry F. Harlow, em seu artigo *Amor em filhotes de macacos*,[4] mostrou que não é apenas você que às vezes tem necessidade de um abraço, de um carinho ou de alguém que o pegue no colo.

Ele relata uma experiência que fez com macacos recém-nascidos, que o levou à conclusão de que "a estimulação tátil é tão importante quanto o alimento no desenvolvimento dos comportamentos".

Na experiência de Harlow, os macaquinhos foram colocados diante de duas mães substitutas, uma feita de pano e outra de arame. Os filhotes afeiçoaram-se à mãe de pano, embora a mamadeira estivesse no peito da mãe de arame. Eles apenas saciavam a fome e logo depois voltavam para a mãe de pano.

Quando algo que representava um estímulo que produzia medo era colocado na gaiola, os macaquinhos também corriam para a mãe de pano. Junto dela, sentiam-se mais seguros

---

[4] BLUM, D. Love at Goon Park: Harry Harlow and the Science of Affection. 2. ed. Londres: Basic Books, 2011.

para arriscar-se e para explorar o meio ambiente, mesmo na presença do estímulo de medo.

Na mesma experiência, Harlow observou que os macacos criados em solidão apresentaram quadros graves de comportamento: evitavam todo contato social, pareciam sempre amedrontados, ficavam encolhidos e abraçados a si mesmos. Se o período de isolamento durasse mais um ano, a situação se tornaria irreversível.

Portanto, a estimulação tátil, além de significar uma troca gostosa e de propiciar sensações de proteção e segurança, fornece material para o indivíduo criar uma identidade.

Todos nós precisamos de alguém querido do nosso lado e que preste atenção em nós.

Qualquer tipo de estímulo leva o indivíduo a se sentir vivo. Qualquer estímulo, ainda que negativo, é melhor que o abandono. Ele serve como fator de equilíbrio da pessoa, ainda que por vezes instável. Outra experiência, desta vez com ratos, feita pelo pesquisador Seymour Levine, prova isso.[5]

Lembre-se de que não compactuo de modo algum com a crueldade animal.

Para realizar esse teste antigo, Levine separou os ratos em três grupos: o primeiro foi colocado em uma gaiola e submetido a choques elétricos, todos os dias, na mesma hora, durante certo tempo. O segundo grupo também foi posto na gaiola todos os dias, na mesma hora, pelo mesmo período de tempo, com a diferença de que não recebia choques. O último grupo foi deixado na gaiola permanentemente sem ser manuseado.

Para surpresa do pesquisador, no final da experiência não havia grande diferença no comportamento dos dois primeiros

---

5 LEVINE, S. Plasma-free corticosteroid response to electric shock in rats stimulated in infancy. **Science**, Nova York, v. 135, n. 3506, p. 795-796, 1962.

grupos. Mas o terceiro, que não havia recebido nenhum estímulo, agia de maneira diversa.

Quando colocados em ambientes estranhos, causadores de tensão, os ratinhos do terceiro grupo agachavam-se no canto da caixa, amedrontados e sem nenhuma curiosidade de explorar o lugar. Os ratos do primeiro grupo, que estavam habituados à tensão (choque elétrico), exploravam o ambiente, da mesma maneira que os animais do segundo grupo, que não tinham recebido choques.

A estimulação positiva ou negativa, como nos mostra Levine, acelera o funcionamento do sistema glandular suprarrenal, que desempenha papel importantíssimo no comportamento dos animais adultos. Os animais manipulados abrem os olhos mais cedo, desenvolvem a coordenação motora em pouco tempo, tendem a ser significativamente mais pesados ao desmamar e apresentam pêlos que crescem com mais rapidez.

Todos nós somos capazes de fazer bobagem para ter alguém ao nosso lado, mesmo que essa pessoa nos faça sofrer. Porque o sentimento de ser deixado, a sensação da perda, é equivalente à morte do outro.

Se você não recebe estímulo de nenhum tipo, vai ficando apático, sem vida. Observe o resultado de outro estudo, do pesquisador francês René Spitz, com crianças colocadas em instituições durante o primeiro ano de vida.[6]

Aquelas que não tinham oportunidade de interagir com os adultos, mesmo recebendo alimentos e remédios quando doentes, mostravam, depois de seis meses, reflexos diminuídos e retardados, como se não percebessem o que estava acontecendo ao seu redor.

---

6 SPITZ, R. A. Hospitalism: An inquiry into the genesis of psychiatric conditions in early childhood. **The psychoanalytic study of the child**, v. 1, n. 1, p. 53-74, 1945.

TODOS NÓS SOMOS CAPAZES DE FAZER BOBAGEM PARA TER ALGUÉM AO NOSSO LADO, MESMO QUE ESSA PESSOA NOS FAÇA SOFRER. PORQUE O SENTIMENTO DE SER DEIXADO, A SENSAÇÃO DA PERDA, É EQUIVALENTE À MORTE DO OUTRO.

Em média, esses bebês apresentaram um atraso grande de linguagem e dificuldades na exploração do mundo. Quando frustrados, não reagiam, atuavam passivamente, como que conformados com a situação.

Outras experiências foram realizadas, demonstrando como esse tipo de situação pode levar o indivíduo a um quadro psicótico e também a uma doença chamada marasmo (que causa grave desnutrição e cuja principal causa é a falta de vitaminas necessárias para uma alimentação saudável).

E não para por aí. Mais pesquisas revelam que crianças sem estimulação sensorial desenvolvem um quadro de deficiência intelectual.

O isolamento é uma das maiores dores a que podemos ser submetidos, seja imposta pelos outros ou por nós mesmos. O DABA surge e se agrava justamente diante dessas condições. Por isso é tão importante romper com a solidão e buscar contato com as pessoas, principalmente com aquelas que nos fazem bem ou que necessitam de nós.

## ME DÊ UM MINUTO DE ATENÇÃO, POR FAVOR

Todos nós precisamos de estímulos, de atenção, de reconhecimento e de nos sentirmos importantes. Em resumo, necessitamos de afeto. Ter consciência desse fato é um passo importante no desenvolvimento da nossa Inteligência Afetiva. Por isso, quando não recebemos os estímulos necessários, em quantidade ou qualidade, ficamos carentes.

Agora você começa a entender de onde vem a sua carência, não é?

Em nossa infância, soubemos buscar as coisas de que precisávamos, mesmo que de maneira inconsciente. Todo ser humano nasce com a capacidade de procurar aquilo de que precisa. Isso é verdadeiro tanto para coisas concretas, como alimento, quanto para coisas abstratas, como estímulos. Com o tempo, porém, muita gente perde a capacidade de buscar o verdadeiro amor.

Quando criança, você sabe pedir aquilo de que precisa: amor, carinho, respeito. Quando os pedidos são em vão, porque não são atendidos, a certa altura abrimos mão de pedir o que precisamos e começamos a lutar pelo que está disponível no ambiente, como faz a criança que come terra e a grávida que come a casca da parede tentando suprir a carência de ferro em seu organismo.

Se os pais não sabem dar a afeição que o filho pede, ele vai perdendo a naturalidade e começa a se acostumar a pedir somente estímulos que estão à disposição, ou seja, aqueles que os pais costumam dar.

Por exemplo, a criança precisa de elogios por fazer as coisas bem-feitas, mas a mãe é muito controladora e fica o tempo todo mostrando que o filho está sempre errado. Essa criança vai aprender a agir da maneira errada para conseguir que a mãe lhe dê a atenção que ela sabe dar, ou seja, críticas.

Garanto que você conhece mais de uma criança que se comporta assim para poder conseguir a atenção dos pais.

Na juventude, as coisas tornam-se mais complexas. Sem saber o que fazer com uma necessidade de carinho que não recebeu na infância, a maior parte dos adolescentes se envolve em atos ilícitos, desafiam a lei, as autoridades e a sociedade como um todo para se sentir importantes para o seu grupo. Em geral são jovens que na infância sofreram com a incapacidade de amar, a indiferença, a frieza e as atitudes egoístas de seus pais e se acostumaram a receber atenção de uma maneira autodestrutiva.

Há muitos exemplos de celebridades que constantemente são notícia por algum escândalo ou problema.

Não é de hoje que artistas de Hollywood, cantores e muitos outros estampam manchetes de jornais e revistas por causa de distúrbios alimentares, bebedeiras, drogas e até automutilação.

Influenciadores brasileiros, por sua vez, têm feito comentários inapropriados sobre temas sensíveis em suas redes sociais, incluindo suicídio, estupro e sexo.

O que pode ter levado esses jovens a esses atos proibidos? Possivelmente um grande estímulo afetivo não resolvido.

Para as crianças, assim como para os jovens e os adultos, é muito difícil aguentar a indiferença de pessoas queridas ou importantes. Essa situação leva a uma dolorosa sensação de abandono, e geralmente induz a atos desesperados para receber um pouco de atenção.

É o caso do filho ou da filha que não falam dos seus sentimentos de solidão, mas agem de maneira prejudicial para chamar atenção. É como se o pensamento deles funcionasse assim: "Pai, você vai prestar atenção em mim, nem que eu tenha de..."

- ser o melhor aluno da classe às custas de viver angustiado;
- ser o pior aluno da classe, o bagunceiro;
- ser o que ganha sempre ou perde sempre;
- ser o que fica sempre doente (ou nunca fica doente);
- ser o que troca de namorada (ou namorado) o tempo todo;
- ser inseguro.

É como a filha ou o filho que, em seu silêncio, suplicam: "Mãe, você vai prestar atenção em mim, nem que eu tenha de..."

- brigar com você toda semana;
- cuidar de você por toda a minha vida, mesmo que eu tenha de viver sozinha;
- estar sempre alegre (ou triste, ou infeliz);
- ter sempre problemas em meu casamento;
- ficar deprimida, zangada ou desvalida.

Frequentemente, por características de personalidade ou de estilo de vida, os pais não dispensam a atenção necessária aos filhos ou não dão o tipo específico de atenção que estes querem receber. Por exemplo, a criança pode ter recebido muito apoio financeiro, mas queria o pai brincando com ela.

Como nos mostra a história de Jorge, um grande empresário que na infância passou fome e frio. Era o caçula de oito filhos e ficou órfão de pai muito cedo. Sua mãe teve de sustentar a família como pôde. Jorge trabalhou engraxando sapatos, entregando jornais, levando mercadorias para empórios, fazendo carreto em feiras livres, lavando vidros em farmácias.

Com o tempo, ganhou experiência e conseguiu trabalhos melhores. Era balconista de farmácia quando conheceu Dora. Apaixonaram-se, namoraram e se casaram. Jorge prometeu para Dora: "Nossos filhos não vão passar necessidades como eu passei. Eles vão ter tudo do melhor...".

E, assim, Jorge batalhou para cumprir o que prometeu. Sua dedicação, sua clareza de propósito e sua determinação deram resultados. Deu casa, comida, conforto, escola, regalias e estabilidade financeira para os filhos e a esposa.

Mas o preço foi alto: Jorge trabalhava mais de dez horas todos os dias. Só folgava no dia de ano-novo. Proporcionava viagens espetaculares para a família, mas nunca conseguia estar presente para aproveitar esses momentos com eles. Os filhos e a esposa sentiam sua falta. Por causa da sua ausência, ninguém achava que era amado por ele. Os filhos pensavam que estavam em segundo plano na vida de Jorge, que o dinheiro era mais importante para ele.

Como Jorge não sabia dar amor, apenas dinheiro, os filhos aprenderam a pedir a ele coisas que o dinheiro podia comprar. Era essa a atenção que podiam receber do pai. Quando começou a perceber que só o procuravam para pedir coisas materiais, Jorge ficou desapontado. Ele queria amor, queria que os filhos dessem uma coisa que não receberam dele.

Se você tem o estilo de vida de Jorge, é hora de aprender a curtir a vida sem trabalhar como um fanático. Dê um tempo para sua família e descubra como é uma pessoa querida. Se percebe que seu pai ou sua mãe age como Jorge, é hora de parar de pedir dinheiro para eles e demonstrar mais o seu amor verdadeiro.

## SEM ATENÇÃO, VOCÊ MORRE

Não receber estímulos afetivos, dizia o psiquiatra canadense Eric Berne, é capaz de gelar uma pessoa até os ossos. Para evitar essa angústia, surgem condutas buscando romper a indiferença.

São aquelas mulheres que viveram para o casamento e para as crianças, mas que acabam sem motivação quando ficam sozinhas. Envelhecem mais rápido, desistem de se vestir bem, param de cozinhar, de cuidar da casa e de si mesmas. Ficam deprimidas, superirritadas, frequentemente perdem a razão de viver e até esperam a morte. Mesmo que o casamento tenha sido uma catástrofe e só existissem problemas, esses problemas eram seus estímulos!

Para ter estímulos, muitos casais preferem um casamento complicado a uma união apenas "agradável". Pais e mães interferem no casamento dos filhos por medo de perder a fonte de estímulos que eles representam. Brigas constantes são melhores do que visitas esporádicas, pois as brigas fornecem estímulos e rendem material para reclamar do marido ou da esposa depois. É como aquela piada do casal:

Um homem chega em casa depois de um duro dia de trabalho, senta na poltrona em frente à televisão e diz à mulher: "Me traga uma cerveja antes que comece". A mulher suspira e leva a cerveja. Dez minutos depois, ele diz: "Me traga outra cerveja antes que comece". Ela olha atravessado para o marido, mas leva outra cerveja e sacode a latinha perto dele. Ele termina mais essa cerveja e, alguns minutos depois, diz: "Rápido, me traga outra cerveja que vai começar a qualquer instante". A esposa fica furiosa e começa a berrar com o marido: "Isso é tudo o que você vai fazer hoje à noite? Beber cerveja e ficar sentado em frente à televisão? Você não passa de um preguiçoso, bêbado, um relaxado! E além disso...". Antes de ela terminar a frase, o marido levanta os olhos para ela e diz: "Pronto, começou...".

As pessoas necessitam de atenção, nem que tenham de ficar doentes. E isso é muito claro na história de uma mulher que teve o seio removido em razão de um câncer. Depois de algum tempo, resolveu fazer uma cirurgia plástica reconstrutora. O resultado cirúrgico foi ótimo. Mas, alguns meses depois, surpreendentemente ela procurou o cirurgião para retirar o seio reconstituído. Alegava que ele só tinha lhe causado problemas, que havia desenvolvido uma depressão, com pensamentos suicidas muito fortes, que tivera alucinações e fora internada em um hospital psiquiátrico. Além disso, ela, que sempre gostara de ter uma casa organizada, deixara de cuidar de si e da casa, irritando-se com tudo.

O que tinha acontecido? Antes da cirurgia, essa mulher recebia muita atenção por ser "doente". Com o sucesso da reconstrução da mama, a família e os amigos começaram a lhe dar menos atenção, já que ela não era mais "doente". O marido aceitou um trabalho novo em outra cidade, o filho predileto saiu de casa para morar sozinho e as amigas deixaram de procurá-la para saber do "problema".

Essa mulher tinha fome de afeto. Foi fundamental a família saber disso para ajudá-la a superar o problema e aprender a receber atenção por outras atitudes. Como consequência, quis continuar com o seio reconstituído.

Às vezes, essas condutas são passageiras, eventuais, como ter um problema escolar ou brigar com os irmãos. Outras vezes, eternizam-se: o indivíduo torna-se, por exemplo, um fracassado profissional. A ideia básica é: aceito fazer qualquer coisa, inclusive me destruir, mas você vai prestar atenção em mim!

Um dos meus filhos tinha um amigo na escola que era filho do vice-presidente de um grande banco e de uma grande empresária. Os pais eram profissionais muito competentes, ganhavam rios de dinheiro e viviam envolvidos com seu trabalho.

O garoto, apesar de inteligente, ia muito mal nos estudos. Vivia trocando de escola e não se adaptava a nenhuma delas. Foi reprovado duas vezes. Sabe em que momentos ele tinha um pouco mais de atenção dos pais? Quando eles eram chamados pela escola para conversar sobre seu fraco rendimento.

A atitude daquele garoto tinha o seguinte recado: "Vocês vão ter de me dar algum tempo, alguma atenção, nem que para isso eu tenha de ir mal na escola".

Será que não é essa a razão dos problemas escolares da sua filha ou do seu filho?

Se uma criança não receber os estímulos positivos de que necessita, começará a experimentar outras condutas até descobrir aquelas que os pais valorizam. Poderá passar a ficar doente, a fim de receber estímulos afetivos de lástima, ou ser "boazinha" eternamente, ou se tornar rebelde. Essa criança aprenderá a manipular o ambiente para conseguir a atenção necessária, baseada em dois fatores: o que a família valoriza e como os outros procuram manipulá-la.

Só não podemos nos esquecer de que depressão não é o mesmo que tristeza. Ao contrário desta, a depressão não passa facilmente e vai piorando o seu quadro se não tratada. Não dê ouvidos a quem diz que isso é bobagem: a depressão é uma doença séria e precisa ser tratada buscando ajuda profissional.

E você? O que você fazia quando criança para receber a atenção dos seus pais? E hoje, o que faz para receber a atenção das pessoas?

## O MUNDO DOS ESTÍMULOS AFETIVOS

Um ser humano que não recebe estímulos afetivos, seja por meio de palavras, seja por meio do toque, vai sentir um vazio e pode ter vários problemas físicos e psicológicos.

Cada vez que alguém reconhece a existência da outra pessoa, dizemos que está dando um estímulo afetivo a ela, como nestes exemplos:

- Quando um amigo telefona para você só para saber como vão as coisas.
- Quando você envia uma mensagem para os seus pais, também.
- Quando o chefe elogia o seu vendedor na frente da equipe.

Pois bem, existem diferentes tipos de estímulos afetivos:

- Positivos e negativos;
- Condicionais e incondicionais;
- Adequados e não adequados;
- Falsos.

Deixe-me apresentar cada um deles a você.

Talvez você esteja se perguntando neste exato momento: *Mas, Roberto, por que devo me aprofundar no conhecimento desses tipos de estímulos afetivos? O que eu ganho com isso?*

Porque, sem eles, como no caso das crianças na história do rei, as pessoas morrem. E, graças a eles, quando dados e recebidos por nós da melhor maneira, podemos criar crianças mais saudáveis psicologicamente e ser adultos muito menos sujeitos a DABA e às terríveis doenças mentais que ameaçam nossa saúde e nossa felicidade.

Então, mergulhe de cabeça nesse conhecimento, porque ele pode salvar a sua vida, a das pessoas à sua volta e este mundo em que vivemos.

## ESTÍMULOS AFETIVOS POSITIVOS

São aqueles que fazem você se sentir bem e muito amado.

São gestos de carinho, como a mãe que nina o filho no colo, ou o pai que troca a fralda de seu bebê. Podem ser pequenas atitudes, como ir assistir a um show com a sua filha ou levar a sua esposa para jantar. Elas vêm na forma de palavras doces, como estes exemplos:

É UMA MANEIRA
MARAVILHOSA DE SE
SENTIR IMPORTANTE
E QUERIDO: SABER
QUE NO MUNDO HÁ
UM CORAÇÃO QUE
BATE POR VOCÊ.

- "Olá, que bom que você veio!"
- "Gostei desse seu desenho!"
- "Esta flor é para você!"
- "Venha, vamos conversar."
- "Vamos sair hoje à noite?"
- "Parabéns pelo seu trabalho!"

Estímulos afetivos positivos são bons como abraço de irmão, de namorado, da esposa. Beijo no rosto, na boca ou um simples gesto "jogado no ar" com muito carinho. Gente se olhando nos olhos, com olhar cristalino, como água de pedra, de modo carinhoso, como dá para perceber nos exemplos a seguir:

- "Liguei para dizer que estou com saudade de você."
- "Amanhã eu chamo você de novo."
- "Quero um tempo só para nós dois."
- "Eu amo você."
- "Vou estudar com você."
- "Deixe que eu cuido desse projeto para você."

Esses gestos, palavras de vida, são um verdadeiro tsunâmi de afeto e geram estímulos afetivos positivos.

Vamos melhorar a sua capacidade de dar afeto e inspirar as pessoas? Chega de esperar que o outro dê o primeiro passo. Essa também é uma maneira de pôr a sua Inteligência Afetiva em ação.

Neste momento, procure já começar dando a alguém um afeto positivo. Pode ser até para si mesmo. Olhe-se no espelho e diga uma coisa positiva e que faça você se sentir bem. Pode ser aquele elogio que você espera que alguém lhe faça, ou comentar sobre algo que você quer que alguém repare em você. Permita-se dar a si mesmo o afeto positivo que você espera que outra pessoa dê. Coma algo gostoso e bom para você, trate-se com carinho, vista-se bem.

Da mesma maneira, surpreenda as pessoas que você ama com um afeto positivo. Faça um elogio, um carinho, um convite. Prepare o café da manhã para sua esposa ou seu marido, convide sua filha para andar de bicicleta, sente com seu filho para ler um livro. Visite seus pais e agradeça a eles por estarem na sua vida. Ligue para aquele amigo com quem você não fala há muito tempo e diga que está com saudade. Elogie o trabalho daquela funcionária que tanto se empenha na sua empresa.

De que outras maneiras você pode dar estímulos afetivos positivos?

## ESTÍMULOS AFETIVOS NEGATIVOS

São aqueles que fazem a gente se sentir mal e podem doer como picada de abelha. São, sim, uma espécie de atenção, mas do tipo que machuca.

Quando o chefe critica um profissional do time, está dando um estímulo afetivo negativo. Quando o pai grita com o filho, também.

Os estímulos afetivos negativos podem ser agressivos, causar dor. São como pancadas no corpo. Veja alguns exemplos a seguir:

- "Você faz tudo errado!"
- "Não gosto de você!"
- "Suma daqui!"

Ou podem ser estímulos afetivos de lástima. Provocam uma sensação de desvalorização, baixam sua autoestima, conforme você irá perceber nos próximos exemplos:

- "Coitadinho!"
- "Ele não tem a inteligência da irmã."
- "Ela tem o dedo podre para homens."

É um olhar de pouco caso ou de crítica. De qualquer forma, a pessoa se sente desvalorizada, não se sente importante. O menosprezo na dor ou na alegria. Tapa na cara com as mãos ou com a palavra.

Mas, mesmo sendo um "alimento precário", é o que o mantém vivo. É como comer água com farinha a vida inteira.

Pense bem: você tem tendência a dar e receber mais estímulos afetivos positivos ou negativos?

As pessoas que dão muitos estímulos afetivos negativos são as que vão viver uma vida de conflitos e solidão.

Quando foi a última vez que você parou para rever o que disse para alguém, para reavaliar qual o verdadeiro motivo de a pessoa estar brava ou triste com você?

É verdade que nem sempre sabemos o que falar. Ou, então, quando um problema surge, somos levados a certo momento de nossa infância (os tão falados gatilhos, na atualidade) e acabamos por repetir frases que lá ouvimos. Dizemos aos outros o que ouvimos de nossos pais e daqueles que ajudaram na nossa formação. Por isso é importante perceber que, muitas vezes, o que você costuma dizer pode ferir ou magoar desnecessariamente.

Então, é hora de refrear o impulso de falar e usar a sabedoria popular, que diz: se não tem algo bom a dizer, fique quieto. Isso não quer dizer que você está alheio a uma situação, mas simplesmente que não está transformando algo ruim em algo pior.

## ESTÍMULOS AFETIVOS INCONDICIONAIS

São o reconhecimento por aquilo que a pessoa é, independentemente do que ela fez ou faz. Entender os gestos de carinho incondicionais é importante porque são muito poderosos para o bem ou para o mal. Por isso, dizemos que há estímulos afetivos incondicionais positivos e negativos.

São positivos quando você recebe um elogio sem pedir, sem ter que fazer nada. Como pequenos gestos que definem o prazer de estar junto a alguém: olhar nos olhos com ternura; um sorriso feliz quando você chega; um abraço de carinho.

São também palavras de agradecimento, de aceitação. Ajudam a elevar nossa saúde psicológica. Fazem você se sentir valorizado simplesmente por ser quem você é. Nem melhor, nem pior. Assim:

- "Adoro ser seu amigo."
- "Meu filho, depois que você nasceu minha vida ficou mais plena."
- "Você me faz feliz."

Quando recebe um carinho desses, sente que não precisa provar nada, nem para si, nem para os outros. As pessoas que nos dão esses estímulos são as que mais nos ajudam a realizar nossas vocações.

Por isso, valorize as pessoas da sua vida que dão esses estímulos. Permita-se parar para ouvir e absorver esse afeto. É uma maneira maravilhosa de se sentir importante e querido: saber que no mundo há um coração que bate por você. Receba e agradeça. Consegue se enxergar através dos olhos de quem está expressando o carinho? Você vai se sentir muito melhor. Pode ser um antídoto poderoso contra DABA.

E, sempre que possível, seja essa pessoa na vida de alguém. Dê ao mundo mais daquilo que você tanto quer para si; torne-se alguém que distribui esses estímulos positivos incondicionalmente. Você vai mudar muito os seus relacionamentos só de dizer, de verdade: eu amo você. Não espere um momento oportuno. Olhe para as pessoas, deixe aflorar seu sentimento por elas, fale de coração. E, para aquelas pessoas com quem você tem intimidade, abraços e beijos espontâneos, cheios de amor, contam muito também.

Já os estímulos incondicionais negativos fazem você se sentir um fardo, trazem mensagens duras e têm o poder de destruição de uma bomba jogada na sua autoestima.

Ou seja, não importa o que tenha feito, você será sempre o vilão da história. Se aceitar isso, vai carregar uma sombra para a vida inteira. Como se lhe dissessem, sem que você tivesse escolha ou pudesse se defender: "Você é do mal e pronto!". Não há nada que possa fazer para deixar de se sentir um peso na vida dos outros.

Quando olhamos para uma pessoa depressiva, dá para perceber que, na infância, ela provavelmente recebeu esse tipo de estímulo afetivo. Por exemplo:

- "Depois que você nasceu, minha vida virou um inferno."
- "Você acabou com a minha vida."

Quando alguém lhe disser uma dessas frases, responda: "Desculpe, mas o dono da sua vida é você. Nem que eu quisesse teria o poder de fazer isso com você".

A boa notícia é que você mesmo pode se blindar desse tipo de energia. Como? Muitas dessas frases podem até reabrir feridas do passado, arrastando-o para lembranças e situações que viveu e que lhe encheram de culpa e vergonha. Nesse momento, porém, respire fundo e lembre-se de quem você é: um ser humano com falhas, sim, mas com muitos acertos também. Lembre-se ainda de que erros podem ser corrigidos, e cometê-los não significa que você não é importante ou não é amado. Se falhou, machucou ou prejudicou alguém, desculpe-se e procure reparar o erro.

Minha dica é: carregue a responsabilidade sobre suas intenções e sobre os seus atos, mas não sobre o sentimento das outras pessoas.

Da mesma maneira, sugiro parar um pouco para ver como está tratando as pessoas que convivem com você. Se costuma dizer frases como as acima, ou até piores, é hora de rever essa atitude e mudá-la. Talvez, no passado, alguém fez você acreditar que esse era o tipo de motivação para se desenvolver. Ou só queria mesmo feri-lo e, ao resistir, você ficou mais forte.

A verdade, porém, é que a vida já tem seus obstáculos e você não precisa ser mais um na vida dos outros. Não estou dizendo que você só tem que elogiar as pessoas o tempo todo. Mas você não precisa ser aquela pessoa que vai destruir a vida alheia. Mais uma vez, o conselho popular cabe aqui: se não tiver nada de bom para falar, fique quieto.

## ESTÍMULOS AFETIVOS CONDICIONAIS

São o reconhecimento pelo que a pessoa faz, bem-feito ou malfeito, ou em decorrência de alguma conduta ou realização. Por isso, também podem ser positivos ou negativos, pois são "frases" que sempre vêm com um julgamento de valor: isso é bom, isso é mau...

DÊ AO MUNDO MAIS DAQUILO QUE VOCÊ TANTO QUER PARA SI; TORNE-SE ALGUÉM QUE DISTRIBUI ESSES ESTÍMULOS POSITIVOS INCONDICIONALMENTE.

São bastante comuns em ambientes de trabalho, em que você só é valorizado se entrega determinado resultado.

Os estímulos condicionais positivos mostram que sua conduta está agradando, como você vai perceber logo a seguir:

- "Parabéns, você foi muito bem na apresentação."
- "Arrasou no resultado deste mês, hein?"
- "Criança bem-comportada assim merece um presente."
- "Obrigada por me ajudar no trabalho."

Já os estímulos afetivos condicionais negativos mostram que sua conduta não está agradando:

- "Quando você chega atrasado, atrapalha o trabalho de todo mundo."
- "Seu projeto não atingiu os objetivos e precisa ser retrabalhado."

Os estímulos afetivos condicionais negativos são necessários, pois se tornam uma referência do que precisamos fazer para melhorar, sobretudo quando são dados com respeito e vontade de que o outro evolua e se sinta verdadeiramente importante.

Hoje, muitas pessoas entram em depressão porque se organizaram para ouvir, em sua vida profissional, estímulos condicionais pelo que fazem, mas vivem sem recebê-los.

Agora, veja só: existe uma tendência a pensar que os estímulos condicionais positivos são sempre bons e que os negativos são sempre maus. Isso não é verdade.

Ambos são necessários. Ambos são alimentos bons, mas diferentes. Assim como a comida salgada e a doce. Às vezes, um estímulo condicional negativo é bom. Por exemplo, se alguém do time está fazendo um trabalho errado, o certo é receber um estímulo negativo, do tipo: "Seu desempenho ficou abaixo do esperado", pois assim ele terá a chance de refletir e empreender as mudanças que considerar convenientes.

Paralelamente, um estímulo positivo pode ser ruim. Por exemplo, se você endossa o trabalho do profissional quando a tarefa não foi bem executada, acaba estimulando um comportamento que será prejudicial a ele.

Por isso, uma das atitudes que devemos evitar é tratar pessoas diferentes de maneira igual. Quando você reúne os filhos porque um deles aprontou alguma coisa e dá uma bronca nos dois, indiscriminadamente, aquele que se controlou e não entrou na traquinagem se sente mal e entende que o que fez foi em vão. E ele pode até parar de se esforçar, já que vai levar bronca de qualquer forma.

Ou então na empresa, quando ao final de um projeto você elogia a todos igualmente, dizendo que fizeram um ótimo trabalho. Agir assim faz que aqueles que pouco ou nada fizeram sintam que podem continuar do mesmo modo, que vão se dar bem à custa dos outros, porque para você é indiferente.

Procure ser específico e assertivo nessas horas. O seu afeto condicional, positivo ou negativo, é uma ferramenta poderosa de comunicação na maneira de mostrar para as pessoas o que tem ou não valor para você, para a sua família, para a sua carreira e para os seus negócios.

Seja sincero, não estimule atitudes que você não quer que se repitam. Para isso, servem muito bem os estímulos afetivos negativos. Se uma atitude ou palavra de alguém está ferindo, incomodando ou deixando você triste, diga francamente: "Eu não gosto quando você fala assim comigo"; "por favor, não me toque dessa maneira"; "isso já chegou a um limite ruim, não pode se repetir". Desse modo, você molda o comportamento das pessoas.

O mesmo vale para os seus afetos condicionais positivos. Assuma o que faz bem a você e o que o faz feliz. Diga à sua esposa que você gosta de cafuné. Conte ao seu marido que você gosta quando ele a provoca elogiando seu corpo. Diga ao seu filho que você fica feliz quando ele brinca com o irmãozinho mais novo. Fale para sua filha que vê-la empenhada nos estudos é maravilhoso. Agradeça ao chefe quando ele tiver uma atitude positiva com a equipe. Elogie sua funcionária por entregar os projetos em dia. Aproveite e reflita: é mais comum você receber estímulos afetivos incondicionais ou condicionais? Você tem tendência a dar mais estímulos incondicionais ou condicionais?

## ESTÍMULOS AFETIVOS ADEQUADOS E INADEQUADOS

O estímulo afetivo adequado é aquele que nos ajuda a crescer, que nos fornece meios de desenvolvimento, mesmo que não seja doce.

O estímulo afetivo adequado dá uma referência da qualidade da ação da outra pessoa. Vem de um chefe bacana, de uma amiga verdadeira, de alguém que realmente quer o melhor para você, como você vai entender nas frases a seguir:

- "Você consegue aprimorar esse projeto."
- "Faça um curso de especialização para entender mais dessa área."

Infelizmente, tem gente que não aceita críticas, pois quer sempre se sentir o máximo. Com isso, acaba limitando a manifestação dos outros e perde a chance de evoluir em sua maneira de ser.

Os estímulos afetivos inadequados são os que nos tiram do caminho certo. Em vez de ajudar, atrapalham. São aqueles conselhos errados:

- Quando uma moça está apaixonada por um rapaz e a mãe fala que é melhor não se envolver para não sofrer.
- Quando você se veste de maneira inadequada para uma entrevista de emprego e ouve: "Sim, essa roupa ficou ótima".

Infelizmente, muita gente elogia quando é para criticar e critica quando é para elogiar. É preciso estar atento para saber o que aproveitar. Cuidado para você não fazer como naquela piada: o marido sai do banho, fica alguns minutos se olhando no espelho e diz para a mulher: "Estou tão feio, gordo, careca, com orelhas enormes, acabado! Preciso de um elogio...". A esposa então responde: "Sua visão está ótima, querido!".

A Inteligência Afetiva é um santo remédio para DABA, justamente porque vai permitir que você se olhe, se ouça. E perceba como está se sentindo e como está tratando a si mesmo e aos outros. Desse modo, fica mais fácil buscar ajuda no caso de uma depressão, procurar meios de liberar a ansiedade, cuidar de si e se permitir ser cuidado no caso de um burnout, de se desculpar e se corrigir se o seu comportamento estiver agressivo nos momentos inadequados.

Então, aproveite para refletir: você tem dado mais estímulos afetivos adequados ou inadequados? Você sabe identificar quando recebe um estímulo adequado ou inadequado?

Veja, nem sempre você vai saber se suas atitudes estão adequadas ou não. Talvez seja do tipo que se sente de uma das duas maneiras. Se você se acha inadequado, acaba se privando de muita coisa, deixando de participar e interagir. Se tende a se achar adequado, pode estar magoando as pessoas ou prejudicando relacionamentos importantes, pessoais ou profissionais, sem se dar conta.

Em qualquer situação, no desenvolvimento da sua própria percepção, peça ajuda a um amigo mais experiente, um terapeuta, um coach ou mentor para validar e até mesmo modificar essa situação. E, à medida que for compreendendo como costuma agir, vá se adequando para saber como se comportar e se comunicar de uma maneira cada vez mais adequada.

## ESTÍMULOS FALSOS

São aquele tipo muito tóxico de incentivo dado pelos puxa-sacos e manipuladores. As pessoas que oferecem esse tipo de estímulo não estão interessadas em ajudar você, mas em fazer bem a si mesmas.

São chamados de estímulos falsos porque, a exemplo da nota de 3 dólares, que só se parece com as verdadeiras, não são reais. Do namorado interesseiro que quer que você pague a viagem para ele: "Você é a mulher da minha vida". Do aluno que só quer passar de ano: "Você é a melhor professora que eu já tive". Do funcionário que quer uma promoção: "Suas ideias são sempre ótimas, chefe".

Quem recebe esse tipo de estímulo falsificado pode até se sentir bem por alguns momentos. Mas, depois de um tempo, vai descobrir que aquelas palavras não vêm do coração. E, provavelmente, será trocado assim que o bajulador descobrir uma pessoa mais interessante para ser usada como "trampolim".

Quem deixa um cargo político, por exemplo, percebe claramente o vazio provocado pelo afastamento dos bajuladores.

NÃO ESPERE
UM MOMENTO
OPORTUNO. OLHE
PARA AS PESSOAS,
DEIXE AFLORAR
SEU SENTIMENTO
POR ELAS, FALE
DE CORAÇÃO.

De uma hora para outra, acabam os presentes, o mar de sorrisos, os tapinhas nas costas.

As ilusões dos falsos elogios podem ser bonitas, mas não satisfazem as nossas necessidades de relacionamentos verdadeiros e profundos. Raramente pessoas que agem assim mudam de verdade. Elas simplesmente vão atrás de outras vítimas carentes que aceitem dar o que elas querem.

Cada um é responsável por aceitar ou não esse tipo de atenção e por criar um ambiente em que as pessoas podem trocar estímulos afetivos verdadeiros.

Apenas não se iluda achando que estará no controle de como os outros o tratam. Por mais que você seja positivo, honesto, trabalhador e do bem, vai, sim, ter gente interessada apenas no que pode tirar de você. E tudo bem. Porque você pode não ter controle sobre o que as pessoas querem de você, mas tem sobre o que está disposto a aceitar, dar e compartilhar.

Se você já chegou até aqui neste livro, entendeu que é importante se conhecer e se valorizar. E esta é justamente a principal ferramenta contra estímulos afetivos falsos: você passa a saber quem é exatamente. Nem mais, nem menos.

Se quiserem rebaixá-lo, continue onde está, não desça ao nível de quem só quer arrastá-lo para a lama onde vive. Da mesma maneira, não caia no canto da sereia quando vierem os chamados que colocam você lá para cima, em um lugar que não é seu. Permaneça no seu eixo. A ilusão sempre se dissipa quando confrontada com a realidade.

## O ESTÍMULO AFETIVO ESSENCIAL

Todos esses tipos de estímulos precisam ser considerados, reconhecidos e usados. Porém, existe um tipo especial, que é capaz de realizar uma completa transformação na vida de quem o dá e de quem o recebe: o estímulo afetivo essencial.

É aquele que consegue curar uma dor incessante, resultado de uma ferida criada lá atrás que continua aberta, ou seja, que continua viva no inconsciente. É um verdadeiro bálsamo, precioso e fundamental, e de um poder inacreditável.

O estímulo afetivo essencial é necessário para recuperar um problema que parecia irrecuperável. Para entender melhor, me acompanhe nesta história verdadeira:

Conheço uma mulher que é uma superprofissional, uma executiva respeitada e competente. Só que ela tem uma grande ferida em sua alma: acha que não é boa mãe. Por trabalhar muito, não consegue estar presente na vida dos filhos tanto quanto gostaria.

Essa ferida foi causada por sua própria mãe. Durante o dia, os filhos dessa executiva são cuidados por ela, a avó das crianças. Um dia, no calor de uma discussão, essa senhora lhe disse: "Você sempre foi uma mãe ausente!".

Foi um golpe mortal para a executiva da nossa história. A ferida nunca mais cicatrizou e sangra todos os dias, com muita dor e sofrimento, principalmente quando ela olha para seus filhos e para sua mãe.

Para curar essa ferida, só um estímulo afetivo essencial. Esse estímulo poderia ser dado por sua mãe, mas também poderia vir de qualquer pessoa que tivesse a sensibilidade de entender aquele drama e conceder uma frase simples e poderosa: "Admiro a maneira como você se esforça e se empenha na educação de seus filhos, mesmo trabalhando muito. Que mãe inspiradora você é e que bom exemplo é para seus filhos".

É importante saber reconhecer qual é o estímulo essencial necessário às pessoas que você ama. E é vital conhecer a si mesmo para descobrir qual é esse estímulo essencial de que você mesmo necessita, e que tem o poder de curar feridas, cessar sofrimentos e inaugurar uma nova fase de luz em sua vida.

*Roberto, e como vou saber qual é esse estímulo?*

Você pode começar procurando lembrar o que o faz feliz de verdade. As pequenas e grandes coisas da vida. Os gestos que impulsionam você a crescer. Procure passar mais tempo com quem é verdadeiro: quem enxerga as suas qualidades e as valoriza, vê os seus defeitos e os aponta com amor e firmeza, e o ajuda a corrigi-los?

O afeto essencial está no amor que você recebe, no elogio que reconhece sua competência e até naquela bronca que mostra que é hora de mudar para melhor.

E tenha sempre em mente que as pessoas são diferentes e estão em momentos diferentes. Cabe a você descobrir o que é importante para elas hoje. Assim:

- Procure manter um diálogo transparente com sua esposa, saber dos seus sonhos de hoje, seus desejos, suas fantasias. E ajude-a a realizá-los.
- Converse com seu marido e ouça seus medos, suas dores e dificuldades. E ajude-o a aliviá-los.
- Acompanhe seus filhos na jornada do crescimento. Descubram juntos quem são eles, seus valores e talentos. E ajude-os a ir além.
- Entenda o que move seus funcionários e ajude-os a chegar lá, para construir um time de campeões!

É quando aplicamos nossa Inteligência Afetiva a todos os relacionamentos da nossa vida que crescemos como indivíduos, como família e como sociedade.

O AFETO ESSENCIAL ESTÁ NO AMOR QUE VOCÊ RECEBE, NO ELOGIO QUE RECONHECE SUA COMPETÊNCIA E ATÉ NAQUELA BRONCA QUE MOSTRA QUE É HORA DE MUDAR PARA MELHOR.

# HÁ LIMITES PARA O AFETO?

Fomos condicionados a pensar que não podemos sair por aí distribuindo afeto como nos der vontade. O resultado é que há famílias com pouca troca de estímulos, de carinho, casais com medo de serem afetuosos e muitos ambientes, como escolas e empresas, em que o calor humano raramente aparece. Soa familiar para você?

Estou falando de gente que pensa que carinho é um artigo escasso como o dinheiro de que precisam para viver. Acreditam que os estímulos afetivos são tão poucos que precisam poupá-los. Pensam que, se gastarem muito, uma hora acaba. O amor vira moeda de troca. Ninguém mais dá nada a ninguém, se não tiver uma contrapartida.

O sexo vira um meio de receber prazer, e as relações ficam consumistas: "Só quero saber de garantir um orgasmo, de ter uma lista de parceiros, de ser elogiado pelo meu desempenho atlético". O outro se torna uma coisa a ser usada para extrair prazer.

A emoção da entrega é substituída pelo medo de ficar sem algo, de ficar vazio.

Isso é miséria afetiva.

Se os estímulos afetivos são em número limitado e um dia acabam, então:

- Os professores nas escolas não vão poder dar afeto para os seus alunos.
- As famílias viverão em eterna cobrança: "Cuidei de você quando era pequeno, agora você tem de cuidar de mim".
- E os relacionamentos afetivos se tornarão cada vez mais pobres e frágeis: "Você tem de cuidar de mim hoje, porque na semana passada eu cuidei de você" ou "Eu vou para a cama com você se você se casar comigo".

O final dessa história é mesquinhez de afeto e relacionamentos pobres. Homens e mulheres passam fome de amor, apesar da abundância de amor que existe nas pessoas.

## ECONOMIZANDO ESTÍMULOS AFETIVOS

Levamos uma vida pobre em estímulos afetivos porque aceitamos ideias pobres que nos são impostas por familiares e amigos, muitas vezes sem querer. Para começar a mudar essas crenças, é preciso conhecer os pensamentos que nos fazem economizar afeto:

- **Afeto existe em quantidade limitada; trate de economizar; somente dê como investimento, sabendo que vai haver retorno!**
  É aquele rapaz que só liga para o amigo quando precisa de um favor e nunca manda mensagem com a intenção apenas de saber dele, sem ganhar nada em troca. Não percebe que terá muito mais vantagens quando não precisar usar atenção como moeda de barganha.
- **Não dê carinho! Você pode acostumar mal as pessoas!**
  É o pai rígido que nunca brinca com os filhos, com medo de que eles percam o respeito. É o chefe que não elogia a equipe para que ela seja obediente. Entretanto, se ele experimentasse conversar com o time para conhecê-los melhor, com certeza os membros iriam respeitá-lo muito mais.

É QUANDO
APLICAMOS NOSSA
INTELIGÊNCIA
AFETIVA A TODOS OS
RELACIONAMENTOS
DA NOSSA VIDA QUE
CRESCEMOS COMO
INDIVÍDUOS,
COMO FAMÍLIA
E COMO SOCIEDADE.

- **Não peça carinho! Os outros vão perder o respeito por você.**
  
  É o homem que não abre o coração quando está com um problema ou a mãe que não pede ajuda ao filho. Se eles percebessem que as pessoas queridas estão sempre à disposição para estender as mãos, não precisariam endurecer tanto seu coração.

- **Não aceite carinho! A única maneira de receber estímulos afetivos é fazer coisas para consegui-los. Não havendo troca, você vai acabar devendo favores, e aí as pessoas vão acabar manipulando você.**
  
  É a mulher-maravilha que quer dar conta de tudo sozinha (dos filhos, do trabalho, do supermercado) para não depender da mãe, da sogra, do ex-marido; ou o gerente que não aceita ajuda para terminar o trabalho no prazo. Se percebessem que além de não precisarem carregar o mundo nas costas ainda fariam os outros se sentirem importantes por poder ajudar, essas pessoas pediriam ajuda com mais frequência.

- **Quem me ama adivinha do que estou precisando. Afeto pedido não tem o mesmo valor; aliás, acho que não tem nenhum valor (só vale o estímulo espontâneo).**
  
  É o caso típico da moça que quer que o namorado adivinhe por que ficou magoada, ou da profissional que quer que os colegas descubram que ela está com um problema. Elas precisam aprender que, quando quiserem alguma coisa, se pedirem, verão que as pessoas são mais cooperativas do que imaginam.

- **Os outros são mais importantes do que eu; portanto, deverei me atentar às necessidades deles e não às minhas. Primeiro os outros, sempre... Senão, estarei sendo egoísta, me sentirei culpado.**
Aquela filha que dedica a vida para cuidar da mãe doente e não se permite namorar, ou o pai que está sempre deixando sua viagem à Europa para ajudar o filho. Ambos estão perdendo a oportunidade de ver que, quando você se valoriza, todas as pessoas começam a valorizá-lo também.
- **Não rejeite estímulos afetivos, mesmo que você não os queira. Se alguém o ama, você tem de corresponder!**
É o caso do chefe que elogia a beleza da nova funcionária, sem ver que nem todo estímulo bom é conveniente. Os elogios precisam ser adequados, pois a funcionária tem o direito de não gostar e dizer: "Aqui, no meu local de trabalho, quero ser valorizada pelo meu trabalho".
- **Você não deve dar estímulos para si mesmo. Se parecer malcuidado, as pessoas vão ter pena e cuidar de você. Ou então: sua opinião a respeito de si mesmo não vale muito, o importante é o que os outros pensam.**
A mãe que fica em casa se lamentando da vida, não faz nenhum exercício físico, não compra roupas novas, não tem um hobby e só espera que os filhos apareçam para paparicá-la ficará frustrada. Ela precisa aprender que tem de começar a cuidar de si mesma.
Os pais que acham que o filho não cresceu e, depois de adulto, continuam bancando suas contas e dizendo, por exemplo, "Ele não sabe se cuidar sozinho!" precisam

aprender a valorizar a capacidade de seu filho de criar a própria vida. Ele vai dar umas cabeçadas, mas com o tempo irá construir o próprio destino.

Acreditar nesses mitos é decretar para si mesmo uma vida de infelicidade. Se você estiver com um pensamento desses, observe e fique atento cada vez que ele aparecer na sua mente.

Cada um tem o seu preferido, e não existe um pior ou melhor. Todos fazem o ser humano temer a própria alma e virar um "mão-fechada" para dar estímulos afetivos.

Algumas pessoas garantem que não pensam assim e procuram esconder essas ideias, porém, observando, é fácil notar quem é escravo dessas regras que só criam solidão e tornam o mundo mais pobre de estímulos afetivos, que são, assim como o carinho, essenciais.

Agora que você sabe como funciona a dinâmica da busca de afeto, chegou a hora de pôr esse conhecimento em prática. Afinal, ler é diferente de aprender, que é diferente de colocar em ação, que é diferente de chegar à excelência. E você só vai chegar à excelência da Inteligência Afetiva colocando a dinâmica do afeto em prática.

Mas se você quer saber mais sobre o tema abordado neste capítulo, não deixe de ler *A carícia essencial: viva bem com as pessoas que você ama*,[7] também de minha autoria.

---

[7] SHINYASHIKI, R. **A carícia essencial:** viva bem com as pessoas que você ama. São Paulo: Editora Gente, 2016.

# SETE

# Transação afetiva universal

**V**ocê já percebeu quantas pessoas que se amam se machucam o tempo todo?

Por mais bem-intencionadas que estejam, muitas pessoas deixam quem é importante para elas se sentindo mal com o que falam, levando a brigas desnecessárias, separações, negócios que não fecham e processos trabalhistas.

Talvez você esteja vivendo isto agora: uma discussão com seu amor que terminou com ambos se sentindo frustrados e incompreendidos. Ou uma conversa com um colega de trabalho que resultou em sentimentos feridos e uma atmosfera tensa.

Isso lhe parece familiar?

Nos anos 1990, quando começou a onda das palestras empresariais no Brasil do jeito que são hoje, eu me lembro de que palestrava para empresas de todo tipo e era muito comum ao final de uma apresentação, apesar de as pessoas estarem animadas, aplaudindo, o dono da empresa vir até mim e dizer: "Até que a sua palestra não foi tão ruim!".

Eu logo pensava: *Nossa, se é assim que ele me trata depois de uma entrega tão bem-sucedida, como ele deve falar com as pessoas que convivem com ele no dia a dia?*

Esses são elogios tortos e, como o afeto se manifesta pelos cinco sentidos, os olhares, os gestos, o tom de voz tortos têm a mesma potência que as palavras.

A intenção é dizer algo bom, mas a frase sai de tal modo que quem escuta sente que está levando uma bronca, ou que desagradou, ou então que deixou o outro na mão, quando o que aconteceu foi justamente o contrário.

Quantos negócios podem ter sido perdidos em virtude de, sem querer, você ter feito seu cliente se sentir mal? Quantas pessoas podem ter se fechado para você porque cansaram de só ouvir críticas ou ironias? Quantos filhos cresceram revoltados com pais que os chamavam de apelidos chulos ou ficavam relatando seus erros na frente dos outros?

"A vergonha é o mais importante de todos os processos traumáticos porque distancia o indivíduo da sua singularidade, fazendo que ele se sinta inseguro e incapaz de desenvolver autoestima."

Quer mais um exemplo?

Outro dia, um amigo comentou que sua mãe ficou brava com o filho dele. Fazia tempo que o neto não a visitava, e mandou uma mensagem de áudio avisando que ia. Depois de ouvir a mensagem, a avó respondeu com uma bronca, dizendo que, se fosse assim, era melhor nem ir. Meu amigo pediu que eu escutasse o áudio e, assim que ouvi, entendi a braveza da avó.

O áudio dizia: "Oi, vó! Neste domingo não tenho nada para fazer, então vou aí na sua casa almoçar!".

Assim como o filho desse meu amigo, muita gente, cheia de boa intenção, não cuida do modo como comunica seus sentimentos, suas dúvidas, seus pedidos, suas emoções.

Todos nós já nos encontramos em situações nas quais a comunicação falha, resultando em desentendimentos e conflitos. Quantas vezes não nos sentimos incompreendidos, mesmo tendo a certeza de que expressamos nossos sentimentos e pensamentos claramente?

A causa dessas distorções é não saber ajudar o outro a se sentir importante.

A raiz do problema reside na nossa tendência de focar a mensagem que queremos transmitir, sem dar a devida atenção à maneira como ela é recebida pelo outro. Falhamos em estabelecer uma conexão afetiva, ou seja, um modo de pensar que leva em consideração os sentimentos e as necessidades do outro.

Para Vygotsky, grande pensador e psicólogo bielorusso, pioneiro no desenvolvimento intelectual das crianças, a vida social em que está inserido cada indivíduo junto ao seu contexto e às suas interações sociais (família, bairro, escola, sociedade) vai refletir diretamente no seu aprendizado social.

Se você vivenciou uma educação violenta na infância e na adolescência e foi criado em um espaço hostil, sem respeito, sem se sentir amado e importante, isso com certeza impactou negativamente o desenvolvimento da sua Inteligência Afetiva, em especial porque seus pais e familiares não o deixaram seguro, não fizeram você se sentir importante. Pelo contrário, você sofreu calado, com cobranças exageradas, com agressividade na fala e com a falta de escuta de todos que deveriam protegê-lo. Assim, aprendeu a demonstrar afeto da maneira que recebeu e, o pior, deixou de amar a si próprio.

Vamos lembrar aqui que o sistema nervoso dos bebês ao nascer se encontra apenas 30% desenvolvido e todas as demais funções serão apreendidas através do afeto recebido de seus cuidadores na maternidade. Sim, o afeto é transmitido pelos olhares e sorrisos, mas fundamentalmente a partir do toque. A descarga do hormônio ocitocina, que é produzido no cérebro e regula, por exemplo, as emoções e as interações sociais, no momento do amamentar é a maior de todas.

A mente da criança funciona como um "copia e cola", que fazemos todos os dias em nosso computador, só que psicológico.

Ela observa os pensamentos, as emoções e reações dos seus pais e copia e cola, sem processar se são úteis para a sua vida... E o pior de tudo é que não percebe que copiou e colou e passa a vida simplesmente repetindo esses padrões de conduta.

A criança repete atitudes pensando que age dessa maneira porque ela é assim. O trabalho de um bom terapeuta é conseguir que o paciente desfaça essa "operação piloto automático" para começar a ser verdadeiramente livre.

## A LIÇÃO DO MEU PAI

Quando era criança, eu ajudava meu pai em sua farmácia e ele tinha uma frase inesquecível: "Beto, nunca perca a chance de ser bom para as pessoas". A maior parte das pessoas, para se sentir importante, procura diminuir os outros, mas o que cria relacionamentos profundos é você ajudar as pessoas a serem felizes.

Se aquele pensamento do meu pai já era importante tanto tempo atrás, imagine quanto é poderoso hoje em dia, sabendo que presenciamos constantemente de relações que estão carecendo de humanidade. E que, como consequência, contribuem para que as pessoas se sintam ainda mais insignificantes.

Por isso, se você quer criar relacionamentos plenos e saudáveis, é importante que ajude as pessoas a se sentirem amadas e valorizadas. E que resgate ou aprenda a ver e transmitir carinho e amor àqueles à sua volta, respeitando suas particularidades e fortalecendo seus pontos fortes.

Para dar forma a esse conceito, desenvolvi a técnica que chamo de Transação Afetiva Universal (TAU), que ajuda a criar relacionamentos significativos em uma sociedade que necessita se tornar cada vez mais humana.

*Roberto, o que é isso?*

A Transação Afetiva Universal é uma fala específica que consiste em dois passos: no primeiro, você ajuda a outra pessoa a se sentir importante e, no segundo, você cria um futuro para ela.

Quer exemplos?

- Que bom que você chegou! Agora a nossa festa vai ficar melhor ainda. *(Com um largo sorriso.)*
- Adoro trabalhar com você, pois sempre produzimos ótimas campanhas. *(Então se abraçam e comemoram.)*
- Que bom que você entrou na empresa, a partir de agora vamos vencer muitas concorrências *(Seguido de um efusivo aperto de mãos.)*
- Amo você e quero passar minha vida ao seu lado. *(Olhando profundamente nos olhos da pessoa amada e respirando no mesmo ritmo e intensidade.)*

Entendeu?

Com sua frase, você mostrou como essa pessoa é importante e, com seus gestos, criou um futuro de realizações. Eu criei a Transação Afetiva Universal observando que as pessoas necessitam dois estímulos: se sentir importante nas relações afetivas, profissionais e sociais e também ter um futuro promissor. Sem se sentir importante nem ter uma visão de futuro, a vida da pessoa se torna vazia.

Se você me perguntar qual é um dos maiores problemas dos relacionamentos hoje, vou responder dizendo que é "ficar": as pessoas "ficam" sem compromisso e, portanto, não se sentem significativas nem criam um futuro realizador.

SE VOCÊ APRENDER A CUIDAR DAS SUAS DORES DO PASSADO E, ENQUANTO ISSO, AJUDAR AS PESSOAS A SE SENTIREM IMPORTANTES E TEREM UM FUTURO DE AUTOCONFIANÇA, COM TODA CERTEZA VAI SE TORNAR ALGUÉM ESPECIAL NA VIDA DOS OUTROS.

Resultado: elas têm muitas aventuras, mas pouco sentimento, e o vazio vai ficando quase inevitável. O ser humano precisa de relações significativas.

Não estou lhe dizendo para não ficar com pessoas por quem você sente atração se está solteiro, mas se comer só doce de leite vai acabar se sentindo desnutrido. Assim como em nossa alimentação, temos que nutrir nossa alma de afeto para nos sentirmos plenos.

Infelizmente, para se sentir valorizada, muita gente acaba precisando desvalorizar os outros, e os conflitos abundam em muitos relacionamentos.

Pessoas de alma ferida querem ferir os outros. Pessoas com cicatrizes no coração querem machucar os outros. Se você aprender a cuidar das suas dores do passado e, enquanto isso, ajudar as pessoas a se sentirem importantes e terem um futuro de autoconfiança, com toda certeza vai se tornar alguém especial na vida dos outros.

Ao colocar em prática a TAU, você mudará sua vida e a das pessoas à sua volta. Inclusive a de sua família. Pois essa ferramenta gera conexão, harmonia, empatia, cooperação e gentileza nas relações, e se a isso você aliar tudo que aprendeu até aqui, com certeza terá acesso a um recurso poderosíssimo capaz de revolucionar a vida de muitas pessoas, inclusive daquelas que você mais ama.

*Roberto, a Transação Afetiva Universal não pode se transformar em um instrumento de manipulação?*

Com toda a certeza. Se, em vez de partir da sua conexão com a pessoa, você usar essa ferramenta como um mecanismo para conseguir que o outro faça o que você quer, você a terá usado como um instrumento de manipulação.

A Transação Afetiva Universal tem de nascer da conexão afetiva e do seu interesse de que o outro se sinta importante, e não que ele faça algo para você. Também é fundamental não usar esse recurso para contar mentiras sobre o futuro dessa pessoa simplesmente para agradar.

Vamos a alguns exemplos de TAU que criarão no outro a sensação de estar sendo manipulado:

- Você é muito inteligente e com toda a certeza vai ser um multimilionário. *(Quando a pessoa não tem a menor condição de ser um multimilionário.)*
- Você é dedicada e certamente vai ser a nossa próxima CEO. *(Quando a pessoa não investe em ser uma gestora de projetos.)*
- Adoro a sua garra e sei que você vai ser um grande arquiteto. *(Quando, apesar de ser arquiteta, a pessoa não se interessa por arquitetura.)*

Sempre que vi alguém usar a Transação Afetiva Universal com um interesse manipulativo, percebi que o outro entrava em uma viagem de ilusão e, pouco tempo depois, um grande conflito aparecia. Quando você usa a TAU para o seu interesse, vai receber uma cobrança intensa:

- Você fala que eu vou ser um multimilionário, mas nem me dá um aumento de salário.
- Você fala que eu vou ser a próxima CEO, mas não me promove nem a gerente.
- Você fala que eu vou ser uma grande arquiteta, mas nunca dá um feedback positivo sobre o meu trabalho.

Um dos lugares em que a Transação Afetiva Universal mais causa encrencas é nos jogos psicológicos de sedução, em que um dos dois está o tempo todo elogiando e prometendo um encontro futuro, mas, quando chega o momento, começa a evitar e alegar que o outro interpretou mal o que estava acontecendo.

Quem pratica o jogo psicológico de sedução cria expectativas amorosas para se sentir amado, mas, na verdade, não tem interesse no outro e sempre provoca dor no coração alheio. Se o outro se sente por baixo, vai se sentir mais miserável ainda e se torturar por muito tempo; se o outro é arrogante, vai dar uma resposta à altura da sua dor.

Saber conquistar uma pessoa quando se está interessado é uma competência fundamental na vida. Saber criar expectativas ilusórias é um caminho para o inferno.

Lembra da sua amiga que jogava charme em cima do chefe para conseguir a promoção? Logo depois de promovida, ela assumiu que não tinha nenhum interesse afetivo, e esse chefe começou a transformar a vida dela em um inferno, até que foi demitida.

Ou do vendedor que prometeu com olhares doces sair com a compradora e, depois das vendas, nem a cumprimentava direito? Certamente, a partir do momento que se deu conta de que foi enganada, a compradora passou a comprar do concorrente.

As frustrações e mágoas aparecem quando a pessoa que ouve promessas de um encontro afetivo, geralmente não verbais, de repente é rejeitada e escuta com a maior frieza: "Você me interpretou mal". Ou "Nós nunca falamos sobre essa possibilidade". Ou, pior ainda: "Sempre deixei claro que o nosso relacionamento é puramente profissional".

Cuidado com as suas mensagens corporais, pois elas têm mais força do que as mensagens verbais.

Nenhuma dessas transações é ética e, por isso, elas não são sustentáveis. A melhor maneira de fazer os seus relacionamentos darem certo é saber enviar mensagens éticas, claras e objetivas e aceitar trabalhar para desenvolver as limitações dos relacionamentos.

Se você não está sendo promovido pela sua chefe, não a iluda sobre um interesse afetivo da sua parte. Converse com ela sobre as perspectivas de crescimento dentro da empresa, estude mais, dedique-se mais e, se você perceber que a promoção não vai acontecer, troque de empresa.

Não viva fazendo promessas que não vai cumprir, ainda que seja com olhares; o final do jogo quase sempre é dramático.

Resumindo: para ser efetiva, a Transferência Afetiva Universal tem de nascer de um estado de conexão profunda com si mesmo e com a verdade que você quer mostrar. E, principalmente, com um amor profundo pela pessoa com quem você está se relacionando. Quando não sentimos o que estamos dizendo, corremos o risco de sermos vistos como manipuladores.

A Transação Afetiva Universal tem de ser uma mensagem verdadeira, afetiva e genuína, com o único objetivo de ajudar o outro a se sentir importante e autoconfiante no seu futuro.

Tem dois tipos de frases sobre como criar o futuro na Transação Afetiva Universal:

1. Aquele que cria um futuro em comum:
   - Obrigado pela sua dedicação, quero que você se torne meu sócio no ano que vem.
   - Parabéns pelo seu trabalho, nossa apresentação vai ser um sucesso!

2. A mensagem que orienta o futuro individual dessa pessoa:
   - Filho, eu admiro como você é um pai participativo; seu filho vai ter muito para agradecer.

SABER CONQUISTAR
UMA PESSOA QUANDO
SE ESTÁ INTERESSADO
É UMA COMPETÊNCIA
FUNDAMENTAL NA
VIDA. SABER CRIAR
EXPECTATIVAS
ILUSÓRIAS É UM
CAMINHO PARA
O INFERNO.

- Meu amor, eu confio em você; tenho certeza de que a sua empresa será um sucesso.

Os dois tipos são importantes na vida das pessoas. Tanto em momentos em que estão criando projetos juntos, seja um filho ou uma nova empresa, quanto em um novo desafio na vida do outro.

A Transação Afetiva Universal pode ser utilizada como uma saudação, durante uma conversa, na aplicação de um feedback ou simplesmente como uma demonstração espontânea de afeto por alguém.

Agora, vamos ver as aplicações da TAU.

## NA ÁREA PROFISSIONAL

Durante uma negociação, você vai estabelecer um diálogo mais eficiente, em que as partes se sentem ouvidas e compreendidas, favorecendo um acordo benéfico para ambas.

No gerenciamento de conflitos, é possível estabelecer um diálogo mais assertivo, evitando acusações e julgamentos, e favorecendo a resolução do conflito de modo mais amigável.

Na liderança de equipe, é possível estabelecer uma comunicação mais clara e objetiva, que favoreça a compreensão das expectativas e os objetivos da equipe, bem como as orientações para alcançá-los.

A Transação Afetiva Universal pode ser aplicada ao oferecer feedback construtivo, reconhecendo o bom desempenho e as contribuições dos colegas de trabalho. Isso pode incluir agradecer publicamente pelo esforço e pela colaboração em projetos, incentivando a troca de ideias e promovendo um ambiente de respeito e cooperação.

A Transação Afetiva Universal pode ser aplicada ao estabelecer objetivos e metas compartilhadas, garantindo que todos os membros da equipe se sintam valorizados e envolvidos no processo de construção do futuro da organização. O reconhecimento do esforço e das contribuições individuais ajudam a reduzir o risco de as pessoas terem depressão, ansiedade, burnout e agressividade (DABA), promovendo um ambiente de trabalho mais afetivo, saudável e colaborativo.

OITO

# aumente a sua inteligência afetiva

Você sabe que pode aumentar o seu quociente de Inteligência Afetiva (QA)? Ou seja, melhorar a sua habilidade de compreender, assimilar e usar afetivamente pensamentos, emoções e ações nos vínculos interpessoais para cultivar relacionamentos plenos.

A Inteligência Afetiva é o elo que conecta corpo, cognição, emoção e ação, permitindo-nos responder adequadamente às diversas situações que encontramos no dia a dia em todos os tipos de relacionamentos.

Embora o QI, quociente de inteligência, seja parcialmente determinado pela genética, alguns fatores ambientais e comportamentais podem ser manipulados para melhorar as habilidades que os testes procuram medir. No entanto, não esqueça que o QI é apenas uma medida de habilidade cognitiva e não determina o sucesso ou o valor de uma pessoa. Já o QA, Quociente de Inteligência Afetiva, pode ser ampliado por meio de atitudes que você vai descobrir aqui, com muitos ganhos para a sua vida pessoal e profissional.

Prepare-se, então, para mergulhar nesta importante etapa da jornada do conhecimento sobre Inteligência Afetiva. Pronto para fazer as mudanças necessárias que vão aumentar o seu QA?

## AS CHAVES PARA AMPLIAR SEU QUOCIENTE AFETIVO

Estamos falando aqui de cinco pontos-chave:

1. Investir em educação;
2. Selecionar o ambiente;
3. Destravar sua mente;
4. Melhorar seus relacionamentos;
5. Aprender atitudes e comportamentos.

Vamos começar pela **educação**. A exposição contínua a novas informações e experiências de aprendizagem relacionados ao tema pode ter um impacto positivo no seu QA. Ler este livro (ou outro), ir a palestras e discutir suas ideias pode aumentar significativamente o seu nível de Inteligência Afetiva, pois o conhecimento vai sendo armazenado e o cérebro sinaliza que é saudável trocar afeto.

Como provou o estudo que vem sendo conduzido pela Universidade Harvard desde 1938 com mais de 700 homens[8] – o mais longo de que se tem conhecimento –, cujo objetivo principal é descobrir o que cria uma vida saudável e feliz, um dos maiores indicadores não é atividade física, nem se você bebe demais ou fuma demais, mas, sim, a qualidade dos seus relacionamentos. Os relacionamentos têm um impacto não apenas psicológico, mas também fisiológico sobre a natureza humana.

---

[8] BBC NEWS BRASIL. O que realmente nos faz felizes? As lições de uma pesquisa de Harvard que há quase oito décadas tenta responder a essa pergunta. BBC, 23 nov. 2016. Disponível em: https://www.bbc.com/portuguese/curiosidades-38075589. Acesso em: 8 ago. 2023.

Do mesmo modo, um **ambiente** estável, seguro, rico em estímulos afetivos aumenta seu QA. E o oposto pode fazer de você alguém com baixo quociente de Inteligência Afetiva. Acho que o raciocínio é claro, não? Mas vamos lá para não restar dúvidas. Empresas com equipes colaborativas favorecem a manifestação de afeto. Escritórios em que todo mundo se ataca, onde mostrar vulnerabilidade é passar por fraco e incompetente, bom, isso vai baixar o seu QA. Outro exemplo: às vezes, você tem um relacionamento legal com um par do trabalho, mas o ambiente é tão hostil que obriga você a estar sempre na defensiva.

Toda vez que alguém desenvolve e amplia o seu mindset para o amor, essa pessoa vai aumentar seu QA. Isso pode ser comprovado, por exemplo, no modo como a pessoa passa a lidar com bloqueios originados na infância.

Se na infância você sofreu um trauma que o ensinou a se isolar, na medida em que você desfaz esses traumas vai ficar mais livre para dar e receber afeto. Isso é **destravar a mente.**

Por exemplo, se o menino ouviu que "homem não chora", ele não vai demonstrar seus sentimentos. Se a menina ouviu "cuidado com o jeito de se vestir para não parecer vulgar" e se o pai brigou, a mãe gritou, a garota ficou assustada e defensiva por causa disso. Se esse alguém viver dentro desse trauma, vai ficar sempre se protegendo de pessoas e viverá solitário. Se, por outro lado, trabalhar isso por meio de uma terapia, por exemplo, ele aumentará seu QA e evoluirá como pessoa.

Você também vai precisar **melhorar seus relacionamentos**. Esse é o exemplo da minha amiga Cynthia Greiner. Ela atuava em um ambiente corporativo mergulhado em competição, competição, competição. Mas pensou: *Opa, não quero viver assim. Quero fazer novas amizades e ter novas experiências.* E, quando foi promovida a diretora de área, começou a mudar as diretrizes na direção da transparência, da ética e da união do time. "Perdi gente que não se encaixou e contratei novos profissionais com o perfil que eu queria", ela diz. Pessoas afetivas, que nos recebem, nos acolhem e nos estimulam, nos ajudam a ser pessoas afetivas.

Mas, se você conviver com pessoas que o estimulam a comportamentos de defesa porque você se sente agredido ou invadido, certamente não vai conseguir elevar o seu QA.

São ruins esses relacionamentos que o colocam na defensiva. Evoluir significa melhorar a qualidade das pessoas com as quais você convive. Até trocando essas pessoas. Até trocando de trabalho.

Por exemplo, se você tem uma amiga que trabalhava em banco, só lidando com números e planilhas, mas virou dona de pousada, naturalmente o grupo de amigos dela vai mudar também.

Parece um pouco forte para você "descartar" amigos, seu trabalho desse jeito? Saiba que isso faz parte da sua evolução.

Por exemplo, eu agora estou nesse mundo de inovação, de startups. Os meus amigos de marketing digital não vieram. Quando eu era palestrante e fui para marketing digital, também não veio ninguém. Porque a vida deles continuou lá; eu me movi em outra direção. Então é natural que os interesses não tenham mais tanto em comum.

Vamos falar de **crenças, atitudes e comportamentos**? Esses são padrões psicológicos que aprendemos na infância e é fundamental que os trabalhemos. Eles são os alicerces que moldam nossa experiência de vida. E a triste verdade é que tais padrões podem estar diminuindo a sua capacidade de dar e receber afeto.

Perceba, nossas crenças, baseadas em convicções e valores, influenciam nossa percepção da realidade e guiam nossas decisões. As atitudes afetam nossas emoções e a maneira como interagimos com o mundo. Os comportamentos são as ações resultantes dessas crenças e atitudes, refletindo nossa identidade e impactando nossos relacionamentos e resultados.

Ao desenvolver crenças positivas, atitudes construtivas e comportamentos saudáveis, podemos transformar nossa vida e alcançar um maior bem-estar emocional e pessoal.

*Roberto, mas como faço isso?*

Escolhendo, por exemplo, tornar-se uma pessoa mais generosa – e não estou falando apenas em atuar em ONGs, embora seja muito válido. Mas a generosidade está também em dar o primeiro passo nos relacionamentos, mostrando-se disponível em vez de inacessível, receptivo em vez de defensivo, interessado no outro em vez de preocupado só com o próprio umbigo.

A autoconsciência e a autotransformação são fundamentais para cultivar uma mentalidade positiva, aberta e resiliente, permitindo-nos superar desafios, melhorar nossos relacionamentos e atingir nossos objetivos.

Ao nutrir uma mentalidade de crescimento, adotar uma atitude de gratidão e praticar a autenticidade em nosso comportamento, construímos uma base sólida para florescer como pessoas. Reconhecer a interconexão entre crenças, atitudes e comportamentos é essencial para a nossa jornada de autodesenvolvimento e busca por uma vida significativa e realizada.

## VOCÊ VAI TER QUE MUDAR. TEM MEDO?

Mudar exige coragem. É saltar do conhecido rumo ao incerto.

- Não amo meu marido, mas será que vou encontrar alguém melhor?

- Odeio este trabalho, mas será que vou achar um emprego mais gratificante?
- Não aguento mais morar com minha mãe, mas será que vou conseguir sobreviver sozinha?

Crescer significa ter a ousadia de explorar o desconhecido. Viver em segurança muitas vezes é como viver na pobreza. Quem quer viver somente o conhecido precisa se acostumar com pouco.

É necessário aprender a fazer o que assusta você.

No processo de mudança, sempre terá medo de algo. Muitos psicólogos defendem a ideia de que os pacientes devem primeiro dominar e anular seus medos, e depois partir para a ação. Isso é ilusão, pois aquilo que é importante em nossa vida sempre nos provocará um friozinho na barriga. O grande desafio é fazer o que nos propusemos, mesmo com o medo por perto.

Devemos ter a coragem de fazer o que precisamos – voltar a estudar, começar a trabalhar fora, casar ou descasar, o que quer que seja – apesar do medo.

Se um objetivo é importante, o medo faz parte de sua realização. Portanto, decida, planeje e realize apesar do medo.

É a qualidade do "sim" e do "não" que você decide dizer hoje, principalmente nos seus relacionamentos, que vai definir como será sua vida.

Ao mudar, aprenda a fazer as coisas de que não gosta. Todo mundo sabe que é preciso gostar do que faz. Isso é fundamental, importantíssimo, mas as vitórias não são construídas apenas sobre coisas das quais gostamos. É inevitável aceitar, quando se tem Inteligência Afetiva, que devemos fazer também aquilo de que não gostamos, enfrentar o medo, compreender que faz parte do processo para superar os seus próprios limites.

MUDAR EXIGE CORAGEM. É SALTAR DO CONHECIDO RUMO AO INCERTO.

Alguém diria que é gostoso ficar acordado a noite inteira cuidando do filho gripado? Ou pensando no planejamento estratégico da empresa?

Quando saem da faculdade, muitos jovens têm a ilusão de que vão fazer só o que gostam. Ilusão que os primeiros dias de trabalho destroem.

Muita gente pensa que escolheu a profissão errada e começa outra faculdade até descobrir que qualquer carreira tem seu lado chato. Precisamos aprender a colocar o máximo de prazer em nosso trabalho, mas temos também de fazê-lo com a máxima qualidade, mesmo que isso implique horas e horas de desprazer.

Um jornalista recém-formado sonha escrever artigos e reportagens que vão abalar o país. É justo que sonhe e deve continuar sonhando, mas o editor lhe ordena que escreva sobre o "buraco de rua", que, no jargão da redação, é o assunto menor. Faz parte do jogo, do aprendizado. Tem de ser feito. E muitas vezes é o que diferencia o profissional do amador.

Evoluir significa ter novas atitudes, mesmo que no começo você tenha medo e escorregue.

Para que você compreenda melhor as habilidades fundamentais que aumentam a sua Inteligência Afetiva, é indispensável adotar as novas atitudes que vou ensinar agora.

Disposto a embarcar na viagem da sua evolução rumo ao aumento do seu QA? Aperte os cintos que um novo mundo está à sua frente.

## ASSUMA A ATITUDE DE PERMANENTE EVOLUÇÃO

Frequentemente, a solução do passado é o problema do presente.

Certa vez, uma mosca caiu em um copo de leite.

A mosca, apesar de não ser tão forte, era tenaz e, por isso, continuou a se debater e a lutar. Aos poucos, com tanta agitação, o leite ao seu redor formou um pequeno nódulo de manteiga no qual ela subiu. Dali, conseguiu levantar voo para longe.

Tempos depois, a mosca tenaz, por descuido, novamente caiu em um copo, desta vez cheio d'água. Como pensou que já conhecia a solução daquele problema, começou a se debater na esperança de que, no devido tempo, se salvasse.

Outra mosca, passando por ali e vendo a aflição da companheira de espécie, pousou na beira do copo e gritou:

"Tem um canudo ali, nade até lá e suba."

A mosca tenaz respondeu:

"Pode deixar que eu sei como resolver este problema."

E continuou a se debater mais e mais até que, exausta, afundou na água.

Quantos de nós, baseados em experiências anteriores, deixamos de observar as mudanças ao redor e ficamos lutando inutilmente até afundar em nossa própria falta de visão?

Criamos uma confiança equivocada e perdemos a oportunidade de repensar nossas experiências. Presos a velhos hábitos que nos levaram ao sucesso, acabamos perdendo a oportunidade de evoluir.

É por isso que os japoneses dizem que na garupa do sucesso vem sempre o fracasso. Os dois estão tão próximos que a arrogância pelo sucesso pode levar à displicência que conduz ao fracasso.

As pessoas com Inteligência Afetiva sabem reconhecer essas transformações e fazer as mudanças necessárias para acompanhar a nova situação.

Agora responda: será que em alguma área de sua vida você está agindo como a mosca da história?

Infelizmente, soluções do passado podem se transformar em problemas no presente. Quando o contexto muda, as soluções também mudam. Ficar estagnado, esperando pelo retorno do passado, é tão inútil quanto esperar o bonde que passava antigamente.

Mas atenção: adotar uma nova atitude não é suficiente para atingir o seu objetivo.

Como dizem os boleiros: mantenha a bola girando em direção ao gol.

Mais do que nunca, precisamos entender com Inteligência Afetiva que a bola, mesmo na direção certa, precisa ser alimentada de energia para continuar em movimento e chegar à meta.

O sucesso exige o esforço permanente de evoluir.

Começar a colocar em prática a Transação Afetiva Universal é básico, mas manter essa atitude mesmo depois que ela começar a dar resultados iniciais é crucial.

## ENFRENTE O MEDO DO DESCONHECIDO

O problema é que crescer significa explorar o desconhecido. Veja o meu caso: o sucesso como terapeuta me dava certo conforto, que me desestimulava a enfrentar o risco da mudança.

Todo mundo tem esses confortos. As pessoas gostam de garantias e de coisas com as quais estão acostumadas, mesmo que sejam pequenas e insatisfatórias. O conhecido nos dá uma sensação de proteção. "Ruim com ele, pior sem ele", diz o ditado. Pensando assim, muitas mulheres ficam casadas durante vários anos com dependentes de álcool que transformam sua vida em um inferno.

Quando somos jovens, temos menos a perder e nos arriscamos mais. Temos coragem para enfrentar o novo. Depois que conseguimos certa estabilidade na vida, começamos a evitar o risco. É o início da decadência. O amor e o sucesso não são presentes que os acomodados recebem.

## SEJA HUMILDE

Humildade é o primeiro passo.

Pessoas que possuem inteligência emocional evoluem e são humildes na sua trajetória.

> **"A vida é uma longa lição de humildade." – Sir James M. Barrie**

O líder de um grupo sempre deve ter em mente que precisa mudar algo em si próprio para gerar um processo de transformação em sua equipe. É fundamental ter maturidade para perceber que não adianta querer mudar o outro se não conseguir se transformar.

O pai que, ao chegar em casa, atira um sapato para cada lado não pode exigir do filho um comportamento diferente. Pais, lembrem-se: os filhos crescem olhando para suas costas e seguindo seus pés. Para ajudá-los a mudar, é preciso que vocês mudem primeiro. Não peçam a eles o que vocês não são capazes de fazer.

Alguém que está comprometido com a mudança precisa, sobretudo, despir-se da arrogância da certeza, a joia mais brilhante da coroa do individualista.

Se você achar que sabe tudo, decide tudo, pensa que o mundo não gira sem você, será o começo da solidão infinita.

Por que alguém que tem tantas certezas ouviria a opinião alheia, pressentiria as necessidades do outro ou acharia que as coisas que são daquele jeito precisam ser mudadas?

Os construtores do Titanic fizeram um navio indestrutível que não durou uma viagem.

O reino espanhol, para destruir a Inglaterra, lançou ao mar a invencível Armada, derrotada pelos ingleses.

Nas Olimpíadas de Berlim, em 1936, Hitler acomodou-se na tribuna de honra para ver seu campeão ariano ganhar a medalha de ouro dos 100 metros rasos. Viu um sensacional negro americano chamado Jesse Owens chegar em primeiro lugar.

Quando as pessoas têm Inteligência Afetiva, elas aprendem as lições da vida.

Lembre-se de que, como disse Karl Marx, "Um problema só surge quando estão presentes todas as condições para solucioná-lo".

As lições da vida para quem tem Inteligência Afetiva se tornam momentos de muito aprendizado, independentemente de o resultado ser positivo ou negativo, pois, ao estar conectado consigo, com o outro e com o mundo, estará em constante movimento. Então compreenderá que, até na derrota, há de existir um significado transformador. Já que, por estar em harmonia, utilizando a Inteligência Afetiva, terá consciência de que, mesmo o retorno não tendo sido o esperado, ainda assim terá sido o melhor que você estava preparado para resolver naquele momento.

Todo problema traz em si uma oportunidade para crescer. Quando se aproveita essa oportunidade, o sofrimento vai embora. A professora Maria Júlia Paes, minha amiga, tem uma oração muito bonita: "Senhor, por favor, me ajude a aprender logo o que o Senhor quer me ensinar". Deus não coloca os problemas em nossa vida para nos sacanear. Dificuldades são oportunidades de crescimento. Os problemas, depois de superados, nos mostram nossa verdadeira capacidade.

Enquanto não assimilamos o ensinamento embutido em um problema, prolongamos e aumentamos o sofrimento que ele causa. Quando aprendemos a lição que a dificuldade nos traz, a angústia desaparece como que por milagre.

MUDANÇAS NÃO OCORREM AMANHÃ. ACONTECEM AGORA, NO MOMENTO EM QUE NOS DAMOS CONTA DA NOSSA CAPACIDADE, DE QUE PODEMOS TER UMA VIDA MAIS PLENA.

Por isso encontramos pessoas que passaram por problemas imensos e conservam aquele brilho cristalino de entusiasmo no olhar. Curtem uma imensa alegria de viver porque superaram desafios.

Conheço a história de um judeu sobrevivente do campo de concentração de Auschwitz que morava em São Paulo. Era um exemplo de sabedoria: tocava violino muito bem, compunha, escrevia, falava de tudo com alegria.

Um dia, alguém lhe perguntou: "Como o senhor consegue ser feliz apesar de tantos horrores que aconteceram em sua vida?".

Ele respondeu com seu sotaque arrevesado: "É por causa disso mesmo. Foi justamente o horror que me ensinou que as menores coisas em nossa vida são um privilégio. No campo de concentração, enfiei na cabeça que devia ser feliz".

O que esse meu amigo tão especial quer dizer é que não podemos encarar tantas coisas maravilhosas à nossa disposição – o pôr do sol, o mar, caminhar, ter amigos, uma família, o alimento, a saúde – como uma obrigação do universo, mas, sim, como pequenos e grandes presentes concedidos a nós todos os dias, a todo momento.

Ele me recorda o personagem Augusto Matraga, de *A hora e vez de Augusto Matraga*, de Guimarães Rosa, que diz: "Vou pro céu nem que seja a porrete".[9]

Tem gente que não quer ser feliz nem empurrada, quanto mais a porrete. Envolve-se em pequenos problemas, faz tempestade em copo d'água e acaba transformando camundongo em elefante. Julga-se o ser mais infeliz da face da Terra e, por

---

9 ROSA, J. G. A hora e vez de Augusto Matraga. *In*: **Sagarana**. São Paulo: Nova Fronteira, 2017.

se sentir profundamente injustiçada, torna-se frustrada, dura e infeliz de verdade.

## PARE DE REPETIR OS MESMOS PADRÕES

Já leu sobre os mecanismos da neurose?

Uma frase atribuída a Albert Einstein diz que insanidade é continuar fazendo sempre a mesma coisa e esperar resultados diferentes.

Como a neurose se manifesta no dia a dia?

Basicamente, pela repetição de um comportamento destrutivo.

Para a maioria das pessoas, não existem surpresas na vida. É sempre a mesma coisa. Os maus resultados vivem se repetindo.

*Como assim "se repetindo", Roberto?*

É aquela sensação de que tudo está bem e, de repente, você se vê na montanha russa em uma queda que não é possível segurar. Só consegue parar lá embaixo. Na Disney, isso é bom. Na vida, podemos nos esborrachar.

As pessoas não se dão conta de que vivem as mesmas histórias repetidas vezes. Como se diz em inglês: *over and over again*. Não percebem que o mesmo filme está em cartaz há muitos anos.

Por exemplo, Fulano está desempregado outra vez, só que agora acha que é pelo motivo B. Antes disso, foi pelo motivo A. Como não percebe que o filme é o mesmo, faz aquela cara de surpresa. É como assistir a um vídeo de final de campeonato em que você sabe que seu time perdeu, mas acha que dessa vez a bola vai entrar no gol.

É importante que se questione o tempo todo para não repetir o mesmo comportamento. Diga a si mesmo: "Chega de repetir o mesmo filme na SUA vida!".

É importante ter força para interromper um comportamento negativo.

Mudanças não ocorrem amanhã. Acontecem agora, no momento em que nos damos conta da nossa capacidade, de que podemos ter uma vida mais plena.

Você conhece alguém que resolveu começar a se aproximar da própria equipe na segunda-feira e seguiu o plano por muito tempo? Talvez a pessoa mantenha a decisão durante uma semana ou um mês, mas, em geral, depois de algum tempo, esses propósitos vão por água abaixo. As pessoas que têm Inteligência Afetiva e que realmente querem estar perto do seu time começam esse projeto no momento exato da sua decisão. Ou seja, agora, pois para elas, que já têm consciência do processo da verdadeira mudança, esse é o momento ideal para iniciar.

As mudanças começam quando as pessoas se sentem insatisfeitas com seu padrão de vida. Quando percebem que têm capacidade e potencial para viver melhor.

**A cada momento, você toma decisões que vão mudar sua vida. São essas pequenas decisões que definem como ela será.**

Uma das decisões mais importantes de quem quer mudar é jogar fora tudo aquilo que se tornou desnecessário. Entretanto, isso às vezes é complicado. Temos dificuldade de nos despedir, de dizer adeus a pessoas e coisas, principalmente se foram importantes para nós. Mesmo estas, porém, devem ser deixadas para trás: um antigo amor, uma profissão que se almejou, mas para a qual não se tinha vocação, a empresa familiar que não tem nada a ver com você.

Precisamos entender que houve um momento em que algo foi útil, resolveu problemas, nos deu prazer, mas agora precisa ficar para trás.

Conheço uma fábula bastante significativa que se passa em um mosteiro zen-budista.

Um gato apareceu no mosteiro durante a meditação de fim de tarde. Subia nas pessoas e esfregava-se nas pernas delas, distraindo todo o grupo. Passou a fazer isso todos os dias, e alguém precisava interromper a meditação para tirar o gato dali. Como ele sempre voltava, resolveram nomear um guardião para o gato. Sua função era cuidar para que o bicho não atrapalhasse a meditação.

Um dia, muitos anos depois, o gato morreu. Sabe qual foi a primeira atitude do guardião? Buscar outro gato.

Observe: um dia foi preciso nomear um guardião para cuidar do gato. Agora adotariam um gato para manter um trabalho que não é mais necessário. Ora, se já não é preciso ter guardião, não se arranja outro gato! O ex-guardião poderia ser utilizado em outras funções, como cuidar do jardim, da limpeza do mosteiro, da comida ou zelar pelos textos sagrados – algo novo, em vez de ficar aprisionado a um hábito.

As pessoas têm a ilusão de que a bola pode mudar de rumo mesmo que ninguém faça nada. Se não houver mudança, porém, o destino seguirá seu caminho e se realizará sem que nada lhe seja acrescentado.

Você pode ser o dono do seu destino. A única condição é que precisa tomar essa decisão agora!

## TENHA UMA TRIBO

Um dos maiores problemas no caminho da mudança é a falta de amigos na nova situação.

A maioria dos nossos amigos gosta daquilo que estamos deixando de lado e, portanto, tende a não valorizar os novos objetivos. Mudar, portanto, geralmente significa fazer novos amigos que nos deem exemplo e nos apoiem em nossa evolução.

MUDAR NÃO É APENAS UMA DECISÃO. É TAMBÉM A DISCIPLINA DE TRANSFORMAR ESSA DECISÃO EM ESTILO DE VIDA; É, PORTANTO, INTERNALIZAR DE MANEIRA GENUÍNA E CONCRETA AS HABILIDADES DA INTELIGÊNCIA AFETIVA.

O operário que decide voltar a estudar para fazer faculdade dificilmente terá o apoio dos amigos. O pessoal do futebol vai convidá-la a faltar às aulas para jogar bola. O pessoal da cerveja vai requisitá-lo para tomar mais uma...

O mesmo processo ocorre com a dondoca que começa a trabalhar. As amigas continuam a convidá-la para fazer compras à tarde. As fofoqueiras dizem que passou a trabalhar porque o marido está falido. E ela terá de seguir adiante mesmo sem contar com o apoio das amigas do shopping à tarde.

Infelizmente, mudar significa quase sempre deixar para trás o grupo de amigos que, na maioria das vezes, não evolui conosco. Quando temos amigos que aproveitam o estímulo de nossas mudanças para crescer ao nosso lado, isso se transforma em uma alavanca sensacional do sucesso e representa que esses amigos são pessoas com Inteligência Afetiva, pois além de serem empáticos, também estão em conexão com si, com os outros e com o mundo, vivendo em um estado de colaboração e plenitude.

Mudar não é apenas uma decisão. É também a disciplina de transformar essa decisão em estilo de vida; é, portanto, internalizar de maneira genuína e concreta as habilidades da Inteligência Afetiva.

## EXECUTE UM PLANO DE AÇÃO

Mudanças ocorrem com hora marcada! Quem as deixa para "algum dia" acaba realizando em dia nenhum...

Se você está decidido a promover mudanças em sua vida, precisa desenvolver a Inteligência Afetiva. Vamos trabalhar nisso juntos por um momento.

Pegue a sua agenda ou um caderno:

1. Escreva o seu objetivo.

    Metas por escrito têm 70% mais eficácia do que objetivos que ficam na sua mente. Eis alguns exemplos de metas para aumentar a sua Inteligência Afetiva:
    - Começar aquele curso que sempre teve vontade de fazer;
    - Iniciar um processo de autoconhecimento;
    - Trocar um hábito destrutivo por um saudável;
    - Praticar um esporte coletivo.

2. Escreva detalhadamente como a sua vida vai melhorar quando você conseguir fazer essas mudanças. Quanto mais claros forem os benefícios das mudanças, maior motivação você terá para se transformar.

3. Escreva o que você perde por não mudar. Quais serão as consequências negativas em sua vida se continuar como está? Mudamos por desejar algo melhor para nós e para as pessoas que amamos, mas também pelo medo de perder aquilo que já conquistamos.

4. Faça uma relação das pessoas que podem ajudá-lo a realizar seu objetivo.

5. Agora crie o projeto desse processo de mudança. Organize as etapas. Escreva em cada uma: o que você vai realizar, como vai realizar e quando isso vai acontecer. Lembre-se de que mudanças ocorrem com hora marcada. Procure sempre responder a três perguntas básicas na elaboração de um projeto: o quê, como e quando. Mas não se esqueça de ficar atento para perceber se, nesses momentos de elaboração de projetos para a mudança, você não está com sintomas de DABA. Isso o ajudará a correr menos riscos.

Então, é chegado o momento: mãos à obra! Uma das fórmulas do sucesso é informação + ação = resultado. **Se você está fazendo tudo conforme o planejado e o resultado não aparece, pare e reformule o plano. Não diminua a sua expectativa.**

Sucesso!

NOVE

# Cinco princípios antes da despedida

O final de dezembro vai ficar para sempre na minha memória.

Em dezembro de 2022, uma dor na panturrilha esquerda me incomodava muito. Eu já tinha ido ao ortopedista, que afirmou se tratar de uma contratura muscular.

No dia 21, percebi que as características da dor mudaram e me perguntei se estava com uma trombose. Então liguei para o médico, que disse: "Não, suas características são de contratura muscular". Pensei por instantes antes de questionar: "Mas e se fosse trombose? Quais exames são feitos nesse caso?". A resposta foi: "Ultrassonografia doppler". Não satisfeito, marquei o exame para o dia seguinte.

Com o resultado da ultrassonografia em mãos, o médico do laboratório me pediu que me sentasse. E, calmamente, foi o que fiz.

"A partir de agora, você não vai mais pisar com essa perna! Olhe o trombo que o senhor tem", falou e, depois, me mostrou a tela do computador. "Está vendo essa imagem se mexendo? É um trombo. Se ele se deslocar, pode ir para o pulmão, e o senhor correr sério risco de morte. Então, permaneça sentado. Vamos chamar uma ambulância e levá-lo ao hospital."

Eu precisava avisar da situação para minha família, então mandei uma mensagem para o grupo. Na mesma hora, meu filho André se prontificou: "Pai, estou aqui perto do laboratório, eu pego o senhor!".

O médico logo encaminhou uma enfermeira para me acompanhar, reforçando o aviso de que eu não podia andar.

Assim que o André me pegou, ele "voou" pelas ruas da cidade de São Paulo. Quando chegamos ao pronto-socorro, a enfermeira que nos acompanhara, muito proativa, já foi informando o meu estado para a equipe do hospital.

E começou a epopeia.

Vários especialistas – tanto os que cuidavam de mim, quanto os amigos que me visitavam – repetiram a orientação para eu não pisar no chão, não descer da cama, tomar os remédios com precisão. A cada hora que passava, me atualizavam do meu quadro: o risco de uma embolia pulmonar estava diminuindo.

Foi especial ver e sentir o amor da minha família por mim, principalmente dos meus filhos Arthur Shinyashiki e André Shinyashiki, que se revezaram para não me deixar sozinho um minuto sequer. A noite do dia 24, eu passei com o Arthur, e meu presente de Natal foi uma conversa que durou horas – uma emocionante conexão entre nós dois. Também foi maravilhosa cada conversa que tive com o André. Ouvir de meus filhos que eles me amavam, que era para eu tomar cuidado, pois eu era muito importante para eles, realmente me tocou bastante.

É muito emocionante ver um filho chorando ao se lembrar de momentos especiais que vivemos juntos.

Estava marcado para o dia 25 o almoço de Natal dos Shinyashiki. Embora tivéssemos uma expectativa de alta, a perspectiva era que eu saísse do hospital apenas na segunda-feira, dia 26 de dezembro. No entanto, às 11 horas o médico me liberou, com a orientação de que eu continuasse não pisando no chão.

Você não imagina a emoção que foi entrar na sala da casa da minha irmã Rosely, com toda a família reunida, enquanto André me carregava "de cavalinho", como tantas vezes eu o carregara quando ele era um menino ainda. Sentir o amor de cada pessoa da minha família por mim foi indescritível! Mesmo hoje, depois de tanto tempo, ainda me lembro de cada abraço, de cada beijo.

Mais tarde, naquele mesmo dia, fui descansar na praia, e os cuidados de minha família por mim continuaram. Meus filhos me levavam de cadeira de rodas para um lado e para o outro.

Apesar do susto inicial, posso afirmar que em nenhum momento tive medo de morrer. Não me apavorei nem me preocupei. A sensação de que a minha vida tinha sido bem vivida me trazia uma calma impressionante. Mas não era porque eu não temesse a morte que eu não quisesse viver. Muito pelo contrário. Eu tinha (e tenho) sede de viver. Queria ver a minha neta Liz crescer; pensava no meu neto Luca, que estava para chegar a este mundo.

Durante esse período, refleti muito sobre a vida, muito. Pensei em cinco princípios que me orientaram ao longo da minha trajetória e dessa experiência. E quero compartilhá-los com você, com o desejo de que o orientem também.

## 1. DÊ MENOS TEMPO PARA QUEM O APLAUDE PARA TER MAIS TEMPO PARA QUEM O AMA

Dedico essa frase àqueles que só vivem para aplausos e riqueza.

Essa reflexão profunda nos convida a repensar nossas prioridades e a valorizar o que realmente importa. Ouvimos tantas vezes que o sucesso é medido pela fama e pela fortuna, mas será que é realmente esse o caminho para a felicidade?

Dorival Caymmi, sábio em suas palavras, nos alertou sobre o equívoco de buscar alegria apenas na glória e no dinheiro.[10]

Vivemos em uma sociedade que valoriza o networking, as conexões movidas por interesses mútuos. Entretanto, é urgente resgatarmos as verdadeiras amizades, aquelas que se fundamentam no amor e na conexão genuína entre as pessoas.

Menos networking e mais amizade, essa é a fórmula para relacionamentos verdadeiros e duradouros.

É importante compreender que uma amizade não se constrói com hora marcada, ela floresce naturalmente ao longo do tempo. É preciso dedicar tempo e energia para cultivar esses laços, estar presente, ouvir e compreender o outro. É olhar para o ser humano que está na nossa frente e enxergar sua essência, suas lutas e suas alegrias.

No entanto, vivemos em um mundo cada vez mais voltado para o individualismo e o marketing pessoal. A obsessão pelo sucesso e pelo dinheiro muitas vezes nos afasta do verdadeiro propósito da vida, que é amar e cuidar uns dos outros.

**Menos marketing e mais amor ao próximo, essa é a mensagem que devemos incorporar em nossas vidas.**

Às vezes, confundimos amizade com interesses pessoais e objetivos egoístas. Nos relacionamentos superficiais, enxergamos as pessoas apenas como prospectos, como oportunidades de ganho ou benefício. Mas será que essa é a maneira correta de viver? Será que buscamos apenas ganhos materiais e nos esquecemos do valor intrínseco de uma verdadeira amizade?

A verdadeira essência da amizade vai além de interesses e benefícios momentâneos. É um compromisso de cuidado, apoio e amor incondicional.

---

10 SAUDADE da Bahia. Dorival Caymmi. *In*: EU VOU pra Maracangalha. Rio de Janeiro: EMI Music Brasil, 1957. Faixa 7.

MENOS NETWORKING E MAIS AMIZADE, ESSA É A FÓRMULA PARA RELACIONAMENTOS VERDADEIROS E DURADOUROS.

Em suma, precisamos repensar nossas prioridades e valorizar o que realmente importa. Menos tempo para buscar aplausos vazios e mais tempo para cultivar relacionamentos verdadeiros. Menos networking movido por interesses e mais amizade fundada no amor. Menos marketing pessoal e mais dedicação ao próximo. E, acima de tudo, devemos lembrar que a verdadeira amizade não se compra, ela é construída com sinceridade, empatia e dedicação mútua.

## 2. NÃO TROQUE PAZ DE ESPÍRITO POR PAIXÃO

É fundamental saber conquistar o coração da pessoa amada para que você tenha o amor verdadeiro em sua vida. Lute com determinação para conquistar esse amor, mas também tenha a coragem de partir caso perceba que o suposto amor dessa pessoa é apenas uma ilusão. Desista quando perceber a falta de reciprocidade nesse caminho.

Quantas vezes alguém apaixonado se esforça ao máximo para conquistar o coração de quem ele ama? Ele tenta se tornar amigo, ajuda nos negócios, planeja viagens românticas e busca qualquer sinal de que o outro também esteja apaixonado.

No entanto, a verdade é que a outra pessoa está interessada apenas em alimentar a própria vaidade ao ver o sacrifício de alguém para conquistá-la. A pessoa objeto do amor não é má, simplesmente não está interessada. Perceba isso e enfrente o momento de dizer adeus. Troque essa paixão impossível pela paz de espírito.

Não se diminua por alguém que não valoriza o seu amor e o seu esforço. Você merece alguém que esteja disposto a retribuir o que você sente. Não tenha medo de seguir em frente e abrir espaço para uma pessoa que esteja verdadeiramente disposta a compartilhar uma relação mútua e saudável. Lembre-se de que o amor deve ser uma troca de sentimentos sincera e recíproca.

Mantenha-se fiel a si mesmo e aos seus valores. Não permita que a ilusão de um amor impossível o prenda em um ciclo de dor e desgaste emocional. Encontre a coragem necessária para abandonar essa miragem e buscar a paz interior. A felicidade verdadeira está na construção de relacionamentos baseados no respeito, na reciprocidade e no amor mútuo.

A lição não se aplica apenas ao amor romântico, mas também à amizade. Quantas vezes nos encontramos perseguindo uma amizade que parece unilateral? Procuramos a companhia de alguém, compartilhamos segredos, sonhos e esperanças, mas sem a reciprocidade desejada. Uma verdadeira amizade deve ser mutuamente benéfica, com ambos os lados contribuindo para o seu crescimento.

Ame-se o suficiente para reconhecer quando é hora de seguir em frente. A paz de espírito é um tesouro valioso que não pode ser trocado por uma paixão unilateral. Foque sua energia e seu amor em si mesmo e naqueles que estão dispostos a compartilhar essa energia e esse amor com você. Encontre a felicidade em amar e ser amado da maneira certa, e se liberte daquilo que não serve ao seu bem-estar emocional.

## 3. "NÃO APRESSE O RIO, ELE CORRE SOZINHO"[11]

Esse título inspirador do livro de Barry Stevens nos lembra da importância de permitir que as coisas sigam seu curso natural. Muitas vezes, tentamos forçar o fluxo da vida, mas é essencial

---

[11] STEVENS, B. Não apresse o rio (ele corre sozinho). São Paulo: Summus Editorial, 2022.

lembrar que há um ritmo próprio, uma sabedoria intrínseca no movimento das águas. Ao abraçarmos essa ideia, encontramos paz e harmonia.

Enquanto buscamos escapar das armadilhas da vida, como se estivéssemos tentando sair da areia movediça em uma corrida desenfreada, podemos encontrar sabedoria no clássico livro *Sidarta*, de Hermann Hesse.[12] Essa obra nos convida a refletir sobre a importância de encontrar nosso próprio caminho, superar os obstáculos e crescer a partir das experiências que enfrentamos. **Cada passo dado com coragem e determinação nos aproxima da liberdade que tanto desejamos.**

"Escute o som da grama crescendo", uma frase do mestre indiano Osho que nos desperta para a beleza e a sutileza do mundo ao nosso redor. Em meio à agitação diária, é fácil perder de vista a magia presente nas coisas mais simples. Ao nos sintonizar com a calma e a quietude, podemos experimentar a renovação da vida, a harmonia dos ciclos naturais e a serenidade do momento presente.

Respeitar as decisões das pessoas é uma prática fundamental. Cada indivíduo tem sua própria jornada e é o protagonista de sua história. Ao reconhecer e honrar essa autonomia, permitimos que cada pessoa cresça, aprenda e construa o próprio destino. A diversidade de caminhos enriquece nosso mundo, e é ao aceitar essa diversidade que fomentamos um ambiente de respeito e empatia.

Por fim, é crucial dar tempo ao tempo. Em uma sociedade acelerada, muitas vezes nos sentimos pressionados a tomar decisões rápidas e alcançar resultados imediatos. No entanto, **nem tudo pode ser apressado. Alguns processos exigem paciência, perseverança e confiança no fluxo**

---

[12] HESSE, H. Sidarta. Rio de Janeiro: Record, 2019.

**natural do tempo.** É nesses momentos que aprendemos valiosas lições, cultivamos o amadurecimento interior e alcançamos conquistas duradouras.

Em suma, ao abraçar essas ideias inspiradoras, emocionais e objetivas, somos convidados a fluir com a correnteza da vida, encontrar nosso próprio caminho, nos sintonizar com a beleza ao nosso redor, respeitar as escolhas das pessoas e dar tempo ao tempo. Assim, estaremos mais preparados para enfrentar os desafios, aproveitar as oportunidades e viver uma vida autêntica e significativa.

## 4. VENCER O OUTRO NEM SEMPRE É UMA VITÓRIA

Não vale a pena arrumar conflito para conseguir realizar alguma meta, principalmente as metas afetivas. Essa declaração profunda toca em uma verdade universal sobre a natureza da existência e das relações humanas. Em vez de lutas e conflitos, a tranquilidade e a compreensão tornam-se a chave para alcançar nossas metas, especialmente aquelas que tocam nossos corações.

A verdade está ancorada no princípio de que o que é meu fica comigo e o que é do outro fica com o outro. Ao abraçar essa verdade, liberamos a necessidade de controle e possessividade, permitindo que a vida flua de maneira autêntica e orgânica. A verdadeira propriedade não é uma questão de possessão, mas de pertencimento, uma relação de amor e respeito.

Esse pensamento é ecoado nas palavras do mestre indiano Osho, que disse: *"Only the losers can win this game"* ["Apenas os perdedores podem ganhar este jogo", em tradução livre]. Em um primeiro olhar, parece um paradoxo, mas, na realidade, esconde uma grande sabedoria. Aqueles que parecem perder, aqueles que escolhem não se envolver em conflitos, são os verdadeiros vencedores. Eles vencem porque encontram a paz, a satisfação e a alegria que vêm de uma vida vivida com autenticidade e amor.

Tem muitas vitórias que se transformam em derrotas e, por isso, são chamadas de vitória de Pirro. A batalha de Pirro ocorreu em 280 a.C., envolvendo o rei Pirro de Épiro e as cidades-estado gregas. Foi uma luta intensa e sangrenta, com Pirro usando táticas inovadoras, como elefantes de guerra. Embora tenha alcançado a vitória, suas perdas foram significativas, pois perdeu muitos dos seus melhores comandantes, enfraquecendo-o. Logo em seguida, tornou-se uma derrota dramática.

Essa ideia ressoa com a sabedoria *wu wei*, do taoismo. *Wu wei* implica resistência pacífica, paciência e uma profunda compreensão da vida. Não é uma luta, mas um fluxo; não é uma batalha, mas uma dança harmoniosa com a existência.

A solução para os conflitos, portanto, não é envolver-se em disputas acirradas, mas entender as razões da outra pessoa. Em vez de brigar, de se posicionar firmemente contra, escolha ouvir e entender. A empatia e o entendimento são as pontes que nos permitem atravessar o abismo da discordância para o terreno comum do respeito mútuo.

As metas que buscamos, os relacionamentos que cultivamos, as vidas que vivemos, todos são tecidos com os fios da compreensão, da empatia e da paz. É ao aceitar a realidade do que é verdadeiramente nosso, ao deixar de lado a necessidade de conflito, ao ouvir e ao entender que encontramos a verdadeira vitória: a vitória da paz, do amor e da satisfação.

## 5. O INFINITO É MUITO GRANDE

O infinito é muito grande, uma ideia que transcende a compreensão humana, um conceito que ecoa através das dimensões do tempo e do espaço, inatingível e imensurável. Seja o infinito do cosmos ou o dos nossos sentimentos, ele é uma demonstração de que a grandeza reside em cada momento e em cada experiência que vivemos.

Considere o cenário de quinze minutos na vastidão do infinito. Quinze minutos podem parecer insignificantes em comparação com a eternidade, mas quando observados de perto se tornam um tesouro de possibilidades. Em quinze minutos, você pode fazer as pazes com seus pais, restaurar pontes que foram destruídas e curar feridas que foram deixadas em aberto. Pode ser a chance de dizer "Eu amo você" para o seu filho, um gesto simples que tem o poder de mudar vidas, de criar uma onda de amor e afeto que reverbera no infinito do tempo.

Na esfera profissional, quinze minutos podem ser decisivos. Em um piscar de olhos, você pode fechar um novo negócio, assumir um novo cargo, embarcar em uma nova jornada. Pode ser a oportunidade que muda a trajetória da sua história profissional, o catalisador para o sucesso.

Em quinze minutos, você pode encontrar o amor da sua vida, aquela conexão rara e preciosa que transcende o tempo e o espaço. Pode ser aquele momento fortuito em que seus olhos se cruzam e os mundos se alinham, e de repente... o infinito não parece tão grande.

O amor, uma emoção tão vasta e complexa quanto o infinito, é mais do que uma simples palavra de quatro letras. É um sentimento que envolve a nossa existência, um elemento fundamental do universo humano. Não é algo que possa ser definido ou limitado. É como o pôr do sol, uma maravilha natural que transcende a beleza. Tentar enquadrar o pôr do sol, tentar limitar sua grandeza, seria um exercício de futilidade. A beleza de um pôr do sol, como o amor, não pode ser confinada ou diminuída.

AME-SE O
SUFICIENTE PARA
RECONHECER
QUANDO É HORA
DE SEGUIR
EM FRENTE.

A vida é uma tapeçaria de momentos infinitos, cada um deles repleto de possibilidades e potencial. Não importa quão grandes ou pequenos sejam, cada um desses momentos é importante, cada um deles tem o potencial de ser transformador. E, assim como o infinito é muito grande, também o são as possibilidades trazidas por cada dia, cada momento, cada segundo. Então, vamos abraçar o infinito, explorar suas profundezas, celebrar a grandeza que reside em cada um de nós.

Não tente colocar o pôr de sol dentro de uma moldura porque você não conseguirá sequer aproveitar a grandeza desse momento.

Meu querido leitor, obrigado por ter me acompanhado nessa reflexão. Espero que ela tenha levado você a valorizar ainda mais o carinho por si mesmo e pelas pessoas a quem ama.

Meu médico, Luís Antonio Raio Granja, me falou que somente 15% das pessoas morrem de morte natural, ou seja, dormindo.

Preste atenção: a maioria de nós vai morrer doentes em um leito.

Quando ele me disse isso, pensei em quantas pessoas vão poder conviver com a família e os amigos no momento derradeiro de vida e quantas terão a solidão como companheira nessa hora.

Eu tenho certeza de que a minha mulher, meus filhos e meus amigos vão me cercar de muito amor. E, do fundo do meu coração, espero que a sua família e os seus amigos tenham muito carinho por você na sua passagem para a vida eterna.

Apesar de todas as inovações, lembre-se: o carinho vai ser sempre essencial.

Com muito amor,
Roberto
Juquehy, 15 de julho de 2023.

**Diretora**
Rosely Boschini

**Gerente Editorial**
Rosângela de Araujo Pinheiro Barbosa

**Editora Júnior**
Natália Domene Alcaide

**Assistente Editorial**
Mariá Moritz Tomazoni

**Produção Gráfica**
Fábio Esteves

**Preparação**
Gleice Couto

**Capa**
Rafael Brum

**Projeto Gráfico e Diagramação**
Gisele Baptista de Oliveira

**Revisão**
Mariana Marcoantonio

**Impressão**
Edições Loyola

**caro(a) leitor(a),**
Queremos saber sua opinião sobre nossos livros. Após a leitura, siga-nos no **linkedin.com/company/editora-gente**, no TikTok **@editoragente** e no Instagram **@editoragente** e visite-nos no site **www.editoragente.com.br**. Cadastre-se e contribua com sugestões, críticas ou elogios.

Copyright © 2023 by Roberto Shinyashiki
Todos os direitos desta edição são reservados à Editora Gente.
Rua Natingui, 379 – Vila Madalena
São Paulo, SP – CEP 05435-000
Telefone: (11) 3670-2500
Site: www.editoragente.com.br
E-mail: gente@editoragente.com.br

Dados Internacionais de Catalogação na Publicação (CIP)
Angélica Ilacqua CRB-8/7057

Shinyashiki, Roberto
   Inteligência Afetiva : o carinho ainda é essencial / Roberto Shinyashiki. - São Paulo : Editora Gente, 2023.
   192 p.

ISBN 978-65-5544-312-7

1. Desenvolvimento pessoal 2. Afeto (Psicologia) 3. Relações humanas I. Título

23-4225                                                      CDD 158.1

Índices para catálogo sistemático:
1. Desenvolvimento pessoal

Este livro foi impresso pela Edições Loyola
em papel pólen bold 70 g/m² em outubro de 2023.